LISE GIROUX TALBOT

CUISINE NUTRITIVE

**190 RECETTES
AVEC ÉQUIVALENTS**

D0259907

LISE GIROUX TALBOT

CUISINE NUTRITIVE

190 RECETTES AVEC ÉQUIVALENTS

Groupe d'édition Scolaris inc.
5221, Berri, bureau 101
Montréal, Québec H2J 2S4

© 1990 Groupe d'édition Scolaris Inc.

Tous droits de reproduction de traduction ou
d'adaptation réservés pour tous pays.

Toute reproduction totale ou partielle par quelque
procédé que ce soit est interdite sans l'autorisation
écrite de l'editeur.

Photocomposition et mise en page :
Les Editions Nu-Age

Photographe :
Michel Paquet

ISBN 2-9802135-0-0

Dépôt légal, quatrième trimestre 1990
Bibliothèque nationale du Québec
Bibliothèque nationale du Canada

PRÉFACE

S'alimenter sainement est plein de bon sens. Manger selon ses besoins énergétiques, choisir ses aliments selon le Guide alimentaire canadien, diminuer sa consommation de gras et de sucre, sont gage d'une bonne santé et de bien-être à tous les jours.

Dans cet objectif de santé par l'amélioration des habitudes alimentaires, l'auteure nous présente un répertoire de recettes conçues pour vous aider à y arriver, de même que des menus et des conseils. Sa persévérance et son imagination lui ont permis de vous offrir des plats délicieux, variés, faciles d'exécution et qui respectent les principes d'une alimentation équilibrée. Ceux-ci seront sûrement appréciés de votre famille et de vos invités, heureux d'être à votre table.

Bon appétit,
Lucie Turcotte, diététiste

Ste-Foy, 16 juillet 1990

L'OBÉSITÉ

L'obésité est un mot qui veut dire «à cause de JE MANGE». Cette façon de définir l'obésité est plus que vraie. Étant obèse moi-même (j'ai déjà pesé 200 livres — non, pardon! 199 3/4 livres, c'était moins lourd à dire...), j'ai longtemps couru d'un régime à l'autre en attendant des miracles sans avoir à me priver. Et que dire de toutes les diètes miracles qui me faisaient flotter sur un nuage pour avoir perdu 15 ou 20 livres en un temps record mais qui me faisaient ensuite tomber en enfer quand je reprenais ces livres et même plus dans un temps tout aussi record!

J'ai vécu de cette manière jusqu'au jour où j'ai décidé de changer ma façon de PENSER face à mon alimentation. J'ai alors entrepris un grand ménage intérieur de moi-même en me questionnant. Pourquoi JE MANGE mes émotions? Pourquoi JE MANGE mes malheurs? Pourquoi JE MANGE mon bonheur? Bien du temps s'est écoulé avant que je ne trouve une réponse à ces questions. J'ai commencé à consulter le Guide alimentaire canadien, ce que je n'avais jamais fait auparavant. Graduellement, j'ai remplacé les «mauvais» aliments que je consommais par de bons aliments nutritifs et j'en suis venue à inclure dans chacun de mes repas les quatre groupes d'aliments.

Avec ces nouvelles habitudes alimentaires, c'était la fin des privations, des dépressions, des crises de foie et, surtout, plus de remords et de culpabilité à vivre! En 13 mois, je suis passée de 200 à 130 livres et, depuis 1980, je maintiens mon poids entre 135 et 140 livres.

Je suis consciente que j'aurai toujours à vivre avec le problème de l'obésité. L'important est de le vivre au jour le jour: aujourd'hui ça va, demain je verrai. La clé du succès pour arriver à maintenir son poids: se soumettre à une routine de trois repas et collations par jour (afin de régulariser et d'activer le métabolisme pour qu'il brûle plus de calories), prendre le temps de bien mastiquer les aliments et respecter les quantités par portion. Il est prouvé que manger des quatre groupes d'aliments à chaque repas est excellent pour la santé et permet de contrôler et stabiliser son poids.

Bien m'alimenter est un des plus beaux cadeaux que je me sois offert. Vous aussi, vous méritez de vous l'offrir!

Lise GIROUX TALBOT

LE DIABÈTE

Étant diabétique moi-même, je comprends parfaitement ce que peut vivre et ressentir une personne diabétique. Passer de la révolte (souvent ressentie quand on reçoit le diagnostic) à l'acceptation n'est pas chose facile. Il faut cependant savoir qu'une fois accepté le fait d'être diabétique pour la vie, la moitié de la bataille est gagnée.

Environ 400 000 personnes au Québec sont atteintes du diabète. Ce chiffre exclut évidemment les personnes diabétiques qui ignorent l'être. Les données recueillies sur cette maladie montrent que le diabète est la principale cause de cécité chez les gens âgés entre 45 et 64 ans. Aux États-Unis, 5 000 personnes par année en deviennent aveugles. Les complications de la maladie peuvent entraîner des problèmes cardiaques et même l'amputation de membres. Il suffit parfois de peu de chose pour éviter ces complications.

LES 13 RÈGLES D'OR DU DIABÉTIQUE

1. Maintenir son poids santé.

2. Éviter les sucres concentrés et manger des 4 groupes d'aliments du Guide alimentaire canadien à chaque repas.

3. Manger 3 repas par jour et généralement 3 collations.

4. Respecter la régularité des heures de repas, c'est-à-dire de 3 à 4 heures entre chaque repas (très important pour stabiliser son diabète).

5. Boire de 8 à 10 verres d'eau par jour afin de favoriser le bon fonctionnement des reins et des intestins.

6. Ne pas oublier que l'alimentation d'un diabétique est aussi une alimentation équilibrée, souhaitable pour tous les membres de la famille.

7. Faire de l'exercice à tous les jours (par exemple, prendre une bonne marche de 30 à 40 minutes).

8. Ne jamais marcher pieds nus.

9. Se laver les pieds chaque jour en leur portant un soin particulier (utiliser des savons et des huiles lubrifiantes non parfumés).

10. Examiner régulièrement les pieds pour détecter rapidement enflures, rougeurs, ampoules ou coloration anormale.

11. Porter des souliers et pantoufles confortables.

12. Surtout ne pas oublier que la peau du diabétique est extrêmement fragile.

13. Si une plaie ne guérit pas ou si une infection persiste, consulter son médecin immédiatement.

LES SYMPTÔMES DU DIABÈTE

Une alimentation mal équilibrée (comme ne pas prendre de déjeuner) peut mener directement sur le chemin du diabète. Boire 8 à 10 verres d'eau par jour est normal. Cependant, une soif intense la nuit de même que devoir uriner souvent sont des symptômes de la maladie. En voici d'autres : infections urinaires, vision embrouillée, somnolence, aggressivité, faim exagérée, rage de sucre ainsi qu'une très grande fatigue.

COMMENT RECEVOIR UNE PERSONNE DIABÉTIQUE

Certaines gens paniquent à l'idée de recevoir une personne diabétique. Pourtant un menu ordinaire composé de soupe, de légumes, de viande, de pommes de terre, de salade, de desserts légers (ex. : salade de fruits sans sucre, salade de fruits exotiques, Jell-O léger ou régulier, mousse de fruits, crème glacée, gâteau des anges, gâteau éponge, blancs d'oeufs battus en neige) serait excellent pour tout invité(e). La seule différence : moins de calories, moins de matières grasses, moins de sucre. Un petit truc pour sucrer les desserts : il suffit d'employer une ou deux poires pelée(s) écrasée(s) ou passée(s) au mélangeur pendant quelques secondes; dans les mélanges à gâteaux, les mousses ou le blanc-manger, c'est tout simplement délicieux.

LE CHOLESTÉROL

Un des maux du siècle: «le cholestérol». Les recherches médicales indiquent qu'un taux de cholestérol trop élevé ou supérieur à la normale dans l'organisme, peut contribuer au durcissement des artères et à des maladies coronaires graves. Les principales causes des maladies du coeur sont le tabagisme, un taux élevé de cholestérol, le diabète, l'hypertension, l'obésité, de mauvaises habitudes alimentaires ainsi que le stress. Diminuez les risques en atteignant et maintenant votre poids santé, en réduisant la consommation des matières grasses, des aliments riches en matières grasses et en cholestérol. Malheureusement de plus en plus d'adolescents et d'adultes ont des problèmes de cholestérol dus à une mauvaise alimentation. Les Canadiens ont de graves problèmes de santé secondaires dus à un surplus de poids ou à l'obésité. En faisant de la prévention, on peut diminuer de 50% les risques. En réduisant les matières grasses, on peut perdre du poids (jusqu'à 1 livre par semaine). Il ne faut pas oublier qu'une livre de graisse représente 3 500 CALORIES.

LES GRAS CACHÉS DANS NOTRE ALIMENTATION

Les gras «cachés» que nous mangeons peuvent être visibles comme ils peuvent être invisibles. Le beurre, la margarine, le saindoux, les vinaigrettes, les huiles végétales, la crème sont des gras visibles. Mais d'autres gras invisibles font partie des aliments pièges commes les jaunes d'oeufs, les fromages, les olives et certaines viandes. Par exemple, un morceau de viande de boeuf de 2e qualité peut renfermer jusqu'à 80% de gras caché et un morceau de 1re qualité environ 35%. Le veau contient environ 55% de gras, la sole environ 20% et le gibier est considéré comme la viande la plus maigre. Contrairement à ce que l'on pense, notre corps n'a besoin que de petites quantités de matières grasses chaque jour pour son bon fonctionnement. Ce qui est important ce n'est pas la quantité mais la sorte de matières grasses que vous mangez. Les matières grasses saturées tels que le gras animal et les graisses végétales hautement hydrogénées augmentent le taux de cholestérol. Il faut donc choisir des graisses de source végétale contenant de grandes quantités de gras polyinsaturés comme les huiles de Carthame, de tournesol, de maïs, de soya et des margarines molles contenant plus de 40% de gras polyinsaturés.

Un bon repas ne doit pas toujours être composé de viande. Dans notre société, nous avons la mauvaise habitude de consommer les viandes de façon inconsidérée. Il n'est pas rare qu'un Canadien trouve à son menu le double ou le triple des portions de viande recommandées. Aller vers un substitut de viande est un bon moyen de diminuer sa consommation de gras et en conséquence réduire le taux de gras dans le sang.

EXEMPLES

2 cuil. à table de fromage léger à tartiner
= 1 once de viande

1/2 tasse de tofu
= 1 once de viande

1 once de fromage léger
= 1 once de viande

1/4 tasse de fromage cottage
= 1 once de viande

1 cuil. à table de beurre d'arachides
= 1 once de viande

Les légumineuses font aussi partie de la famille des viandes et sont pauvres en gras.

SUGGESTIONS

Pour diminuer les matières grasses dans l'alimentation:
1. Employer le lait écrémé, le lait 2% et les fromages légers;
2. S'efforcer de mettre plus souvent au menu du poisson, du poulet, de la dinde (respecter les équivalents de viande);
3. Faire les sauces à base de thé infusé;
4. Préférer les cuissons à l'eau, à la vapeur, au gril ou au four micro-ondes aux modes de cuisson avec gras;
5. Enlever la peau du poulet et de la dinde avant la cuisson;
6. Employer les vinaigrettes sans huile ou légères, les sauces à salade, les mayonnaises, la margarine et le beurre réduits en calories.

LES ALIMENTS RICHES EN CHOLESTÉROL

QUELQUES EXEMPLES:
par 100 grammes ou 3 1/2 onces

ALIMENTS	CHOLESTÉROL
GRAS ET HUILES	
Beurre doux	260
Beurre salé	220
Huile végétale	0
Margarine	0
Enduit végétal	0
LAIT ET PRODUITS LAITIERS	
Crème épaisse	133
Moitié lait-crème	40
Crème glacée (12% de gras)	60

Crème glacée au tofu	0
Lait écrémé 1%	2
Lait 2%	8
Lait 3.25%	14
Lait évaporé non sucré (en boîte)	31
Lait glacé à la vanille	14
Yogourt réduit en matières grasses	31
Oeuf dur	548
Omelette simple	388
Oeuf poché	545
Substitut d'oeufs (egg beater)	2

POISSONS

Crabe en boîte	101
Crevettes en boîte	150
Crevettes en friture	120
Flétan grillé	60
Huîtres en boîte	230
Palourdes crues	50
Pétoncles cuits à la vapeur	53
Saumon au four ou grillé	47
Thon en boîte	63
Homard bouilli et beurre	456

VIANDES
par 90 grammes ou 3 onces

Foie de boeuf	394
Côtelette d'agneau	110
Bifteck	108
Filet mignon	108
Jambon	105
Côtelette de veau	91
Veau rôti	89
Bacon (15 tranches)	83

LES ÉLÉMENTS NUTRITIFS
ET LES VITAMINES

Les éléments nutritifs:

• **Les protéines:** composés complexes nécessaires à la croissance, l'entretien et la réparation des tissus. Elles forment des anticorps pour lutter contre l'infection. Elles sont constituées de substances plus simples appelées acides aminés. Nous les retrouvons généralement dans les aliments d'origine animale tels que le lait, fromage, oeufs, viande, etc. Les protéines incomplètes, contenant un ou plusieurs acides aminés, sont d'origine végétale, comme les céréales, le pain et les légumineuses.

• **Les glucides** sont une source d'énergie et jouent un role dans l'utilisation des lipides. Les deux principaux types de glucides sont les amidons et les sucres.

• **Les lipides** sont une source concentrée d'énergie et favorisent l'absorption des vitamines A,D,E,K et fournissent les acides essentiels reconnus nécessaires à une bonne alimentation.

Les vitamines liposolubles sont absorbées avec

les graisses et peuvent être stockées en quantités modérées.

• **Vitamine A:** contribue au développement normal des os et des dents, facilite la vue dans l'obscurité, permet de résister aux infections en conservant la peau en bon état et permet d'assurer une reproduction et une lactation normales. Sources: lait entier, beurre, légumes jaunes et verts foncés, fruits jaunes.

• **Vitamine D:** importante pour l'utilisation du calcium et du phosphore dans le développement et l'entretien des os et de dents saines. Sources: soleil, lait enrichi de vitamine D (et margarine), huile et foie de poisson.

• **Vitamine E:** prévient l'oxydation des graisses contenues dans les tissus et protège les réserves de vitamine A dans l'organisme. Sources: germe de blé, de maïs, de soya et les produits qui en contiennent. Mythe: il est faux de penser que cette vitamine peut augmenter la puissance sexuelle, retarder le vieillissement ou guérir le cancer et les ma-ladies coronariennes. Les recherches n'ont apporté aucune preuve à l'appui de ces théories. Seuls quelques cas spéciaux peuvent nécessiter des suppléments de vitamine E.

• **Vitamine K:** nécessaire pour assurer une coagulation normale du sang. Sources: on la retrouve dans une grande variété d'aliments. (On observe rarement de carence en vitamine K.)

Les vitamines hydrosolubles: ne sont pas emmagasinées en quantités appréciables, les surplus sont éliminés dans l'urine. C'est pourquoi des apports suffisants doivent être fournis sur une base continue.

• **Vitamine B:** Thiamine (B): permet un fonctionnement normal du système nerveux, libère l'énergie des glucides, favorise une croissance normale et l'appétit. Sources: porc et produits du porc, légumineuses sèches, céréales, pain, farine et pâtes à grains entiers ou enrichis.

• **Riboflavin (B2)** conserve la peau et les yeux en bon état, contribue au bon fonctionnement du système nerveux, à la libération de l'énergie, assure croissance et développement normaux, maintient l'appétit et favorise la digestion. Sources: lait, fromage, viandes (surtout abats), légumes verts, céréales, farine, pains, pâtes enrichies.

• **Niacine:** aide à la croissance et au développement, contribue au fonctionnement normal du système nerveux et de l'appareil digestif. Sources: viandes (abats), poissons, volaille, céréales, farines, pains, pâtes enrichies, etc.

Les autres vitamines du groupe B moins connues, **l'acide folique** et la **vitamine B12** sont associées au bon état du système sanguin.

La **vitamine B6 (pyridoxine)** intervient dans le métabolisme des protéines et de l'énergie.

• **Vitamine C:** est importante pour maintenir les dents, les gencives ainsi que les parois des vaisseaux sanguins, en bon état, aide à formation et au renouvellement de la substance qui cimente entre elles les cellules du corps. Sources: agrumes et leur jus, jus de pomme vitaminé, tomates et leur jus, cantaloup, fraises, brocoli, chou-fleur, chou de Bruxelles, chou, etc.

LES COMBINAISONS ALIMENTAIRES

Pas de lait frais avec mon biscuit à l'avoine, pas de fromage avec ma pomme, car il s'agit là de mauvaises combinaisons alimentaires. Selon M. Shelton*, il existe sept groupes d'aliments ne pouvant être combinés n'importe comment. C'est ce qu'on appelle la «théorie des combinaisons alimentaires». La classification qu'il a établie est basée sur la composition et la provenance des aliments, les deux facteurs qui déterminent les associations favorables et celles qui ne le sont pas. Il est déconseillé (toujours selon M. Shelton), de consommer, par exemple, une source de protéines (lait, viande) avec un fruit car cela imposerait un trop gros effort de digestion. Une mauvaise combinaison alimentaire peut, au niveau de l'estomac, empêcher l'action d'une enzyme appelée «ptyaline» qui serait inhibée par une trop forte augmentation du taux d'acidité. En réalité, cette enzyme est surtout active dans la salive et programmée pour digérer tout ce qui se trouve dans l'estomac.

ATTENTION!
Le danger avec ce «régime» est qu'il peut causer des déficits importants, conséquences des restrictions nombreuses imposées sur certaines combinaisons d'aliments, particulièrement la vitamine B12, le fer, le calcium, le zinc ainsi que les apports en protéines et en énergie.

CONCLUSION:
Pour moi, les meilleures combinaisons alimentaires se résument tout simplement à consommer à chaque repas nos 4 groupes d'aliments (viande, pain, fruits et légumes, et produits laitiers). Avoir une alimentation basée sur le Guide alimentaire canadien permet de combler les besoins de l'organisme en vitamines et de vivre en bonne forme tout en maintenant son poids santé.

*M. Shelton, médecin et professeur américain, devenu célèbre au cours des années 50 pour ses théories des combinaisons alimentaires.

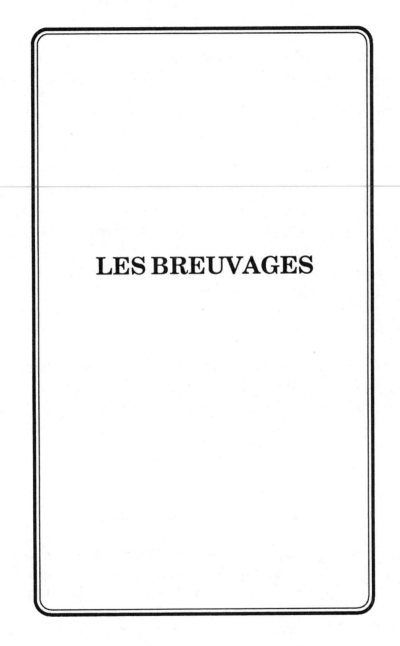

LES BREUVAGES

LA CRÈME BUDWIG SANTÉ
DE LISE GIROUX TALBOT

(1 portion)

Ingrédients

8 onces (250 ml) de lait 2%
10 cuil. à table (150 ml) de germe de blé
1 cuil. à table (15 ml) de graines de sésame OU
1 cuil. à thé (5 ml) d'huile de Carthame
1/2 banane OU 1 pêche OU 1 poire OU 1 tasse (250 ml) de
*   fraises nature*
1 cuil. à table (15 ml) de beurre d'arachides OU
1/2 tasse (125 ml) de tofu nature

Préparation

Dans un mélangeur, verser les ingrédients, mélanger quelques secondes et servir.

Pour cette portion, enlever 1 équivalent de lait plus 2 équivalents de pain plus 1 équivalent de matière grasse plus 1 équivalent de fruit plus 1 once (30 g) de viande.

NOTE: Cette recette constitue un déjeuner complet pour une personne ayant un régime à 1 400 calories par jour.

JUS DE MELON D'EAU

(2 portions)

Ingrédients

1 1/2 tasse (375 ml) de melon d'eau coupé en petits morceaux (enlever les pépins)
1 kiwi pelé et coupé en tranches
1 sachet de substitut de sucre (facultatif)

Préparation

Dans un mélangeur, verser les ingrédients, les réduire en purée et servir.

Pour 1 portion, enlever 1 équivalent de fruit.

LAIT AU FRAISES

(1 portion)

Ingrédients

8 onces (250 ml) de lait 2%
1/2 tasse (125 ml) de fraises nature
1 1/2 onces (45 ml) de yogourt léger aux fraises
1 sachet de substitut de sucre (facultatif)

Préparation

Dans un mélangeur, verser les ingrédients, les réduire en purée et servir.

Pour cette portion, enlever 1 équivalent de lait plus 1 équivalent de fruit.

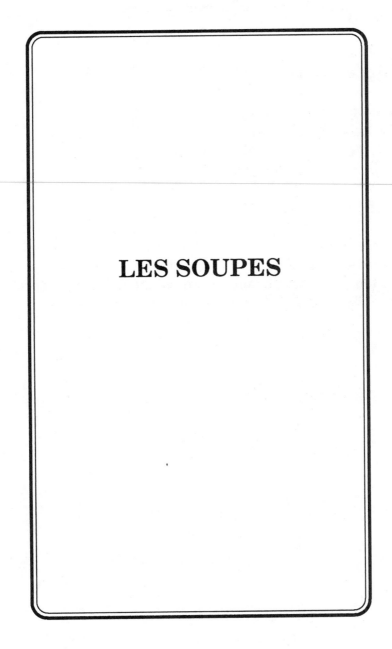

LES SOUPES

CRÈME DE CÉLERI #1

(3 tasses /750 ml)

Ingrédients

2 tasses (500 ml) de céleri coupé en petits cubes
3 tasses (750 ml) d'eau
1 1/2 cuil. à table (20 ml) de concentré de poulet
1 cuil. à table (15 ml) de persil

Préparation

Verser tous les ingrédients dans une marmite moyenne. Cuire à feu doux de 20 à 25 minutes en brassant de temps en temps. Passer ensuite au mélangeur jusqu'à l'obtention d'une belle texture épaisse et servir.

Cette recette est un bonus.

CRÈME DE CÉLERI #2

(2 portions)

Ingrédients

2 tasses (500 ml) d'eau
2 tasses (500 ml) de céleri haché fin
3 échalotes hachées très fin
2/3 cuil. à thé (3 ml) de sel
1 tasse (250 ml) de lait 2%
1 cuil. à table (15 ml) de persil

Préparation

Dans une marmite de 6 pintes (7 litres), verser l'eau, l'amener au point d'ébullition et la laisser en réserve. Dans un mélangeur, verser les autres ingrédients et mélanger environ 1 minute. Incorporer ensuite ce mélange avec l'eau ayant bouilli. Chauffer à feu doux jusqu'à l'obtention d'une crème légère. Ne pas faire bouillir.

Pour 1 portion de 6 onces (200 ml), enlever 1/2 équivalent de lait.

CRÈME DE LÉGUMES #1

(4 portions)

Ingrédients

1 tasse (250 ml) de carottes cuites coupées en petits morceaux

1 tasse (250 ml) de chou de Siam cuit coupé en petits morceaux

1 tasse (250 ml) de choux de Bruxelles cuits coupés en petits morceaux

1 tasse (250 ml) d'eau

1 tasse (250 ml) de lait 2%

Sel de légumes au goût

1 cuil. à table (15 ml) de persil

Poivre au goût

1 cuil. à table (15 ml) de ciboulette

Préparation

Verser les ingrédients dans un mélangeur et mélanger quelques secondes. Verser ensuite dans une marmite, faire chauffer à feu doux jusqu'au point d'ébullition et servir.

Pour 1 portion de 6 onces (200 ml), enlever 1 équivalent de légumes B plus 2 onces (60 ml) de lait.

CRÈME DE LÉGUMES #2

(5 tasses environ)

Ingrédients

1 livre (450 g) de carottes pelées et coupées en rondelles
1 poireau coupé en rondelles
1 chou de Siam pelé et coupé en morceaux
1 brocoli
1 chou-fleur
2 petits bouquets de persil
Eau
1 tasse (250 ml) de lait 2%
1 cuil. à thé (5 ml) de sel de légumes
1/2 cuil. à thé (2 ml) de poivre

Préparation

Dans une grande marmite, verser les légumes et mettre de l'eau à l'égalité de ceux-ci. Cuire à feu doux de 15 à 20 minutes environ. Lorsque les légumes sont cuits, ajouter le lait, le sel de légumes et le poivre. Verser dans un mélangeur, réduire en purée et servir.

Pour 3/4 de tasse (200 ml), enlever 1 légume B.

CRÈME DE TOMATES À L'ÉTUVÉE

(2 portions)

Ingrédients

1 boîte de tomates de 28 onces (796 ml)
1 tasse (250 ml) de feuilles de céleri hachées fin
1/2 piment vert coupé en petits morceaux
1/2 tasse (125 ml) de poireau haché fin
1/8 cuil. à thé (pincée) de paprika
1/8 cuil. à thé (pincée) de cari
Sel de légumes au goût

Préparation

Verser tous les ingrédients dans un mélangeur et mélanger quelques secondes. Verser ensuite dans une marmite, faire chauffer jusqu'au point d'ébullition et servir.

2 tasses (500 ml) par jour de cette recette est un bonus.

SOUPE GRATINÉE

(1 portion)

Ingrédients

*2 cuil. à table (30 ml) de concentré de poulet dilué dans 1
    tasse (250 ml) d'eau bouillante
1/4 tasse (60 ml) de poireau haché très fin
1 tranche de pain sec coupée en cubes
Feuilles de céleri au goût hachées fin
1 cuil. à table (15 ml) de persil
Poivre au goût
Pincée de sel
2 onces (60 g) de fromage blanc râpé*

Préparation

Dans une petite marmite, à feu doux, verser et mélanger
les 7 premiers ingrédients. Laisser bouillir de 2 à 3
minutes. Garnir de fromage râpé et servir.

Pour cette portion, enlever 1 équivalent de pain plus 2
équivalents de viande.

SOUPE BONUS

(10 portions)

Ingrédients

1 cuil. à thé (5 ml) de margarine réduite en calories
1 échalote hachée très fin
2 cuil. à table (30 ml) de consommé de poulet
1 tasse (250 ml) de chou râpé
1 tasse (250 ml) de céleri avec feuilles hachées très fin
1/2 tasse (125 ml) de zucchini râpé
Sel de légumes au goût
Poivre au goût
Persil au goût
1 boîte de tomates de 28 onces (796 ml) écrasées en purée
1 boîte de jus de tomates de 6 onces (175 ml)
Eau

Préparation

Dans une marmite de 8 pintes (9 litres), faire rôtir le beurre et l'échalote. Verser l'eau à la moitié de la marmite et ajouter le reste des ingrédients. Cuire à feu doux de 40 à 50 minutes en brassant de temps en temps.

---

2 tasses (500 ml) par jour est un bonus. Plus de 2 tasses (500 ml), enlever 1 équivalent de légumes B.

SOUPE AU CHOU

Ingrédients

1 cuil. à table (15 ml) de margarine réduite en calories
2 échalotes hachées très fin
Eau
3 tasses (750 ml) de chou râpé
Poivre au goût
2 cuil. à table (30 ml) de persil
1 cuil. à table (15 ml) de sel de légumes
2 cuil. à table (30 ml) de bouillon de poulet

Préparation

Dans une marmite de 8 pintes (9 litres), faire rôtir le beurre et l'échalote. Ajouter de l'eau au 3/4 de la marmite et verser les autres ingrédients. Faire mijoter à feu doux de 40 à 50 minutes.

2 tasses (500 ml) par jour est un bonus.

SOUPE AUX LÉGUMES

(2 portions)

Ingrédients

1 cuil. à table (15 ml) de margarine réduite en calories
1 échalote hachée très fin
Eau
1/2 tasse (125 ml) de carottes coupées en petits cubes
1/2 tasse (125 ml) de céleri coupé en petits cubes
1/2 tasse (125 ml) de chou de Siam coupé en petits cubes
1/2 tasse (125 ml) de chou en petits morceaux
2 cuil. à table (30 ml) de consommé de boeuf
1 boîte de jus de tomate de 19 onces (540 ml)
Sel de légumes au goût
Poivre au goût
Persil au goût

Préparation

Dans une marmite de 8 pintes (9 litres), faire rôtir le beurre et l'échalote. Remplir à moitié d'eau et ajouter les autres ingrédients. Cuire de 40 à 50 minutes à feu doux, en brassant de temps en temps.

Pour 1 portion de 6 onces (200 ml), enlever 1 équivalent de légumes B.

SOUPE AU PANAIS ET AU FENOUIL

(20 portions)

Ingrédients

2 tasses (500 ml) de jus de tomate
Eau
2 cuil. à table (30 ml) de concentré de poulet
Sel de légumes au goût
Poivre au goût
1 tasse (250 ml) de panais râpé
1 tasse (250 ml) de fenouil (anis) avec feuilles haché fin
1/4 tasse (60 ml) de riz minute
1 échalote hachée fin

Préparation

Dans une marmite de 8 pintes (9 litres) remplie à moitié d'eau, verser le jus de tomate, le concentré de poulet, le sel de légumes et le poivre. Laisser bouillir quelques minutes et verser le reste des ingrédients. Cuire à feu doux de 30 à 35 minutes en brassant de temps en temps.

Pour 1 portion de 6 onces (200 ml), enlever 1 équivalent de légumes B.

SOUPE AU RIZ ET AU NAVET BLANC

(16 portions)

Ingrédients

4 pintes (4,5 litres) d'eau
1 boîte de jus de tomate de 19 onces (540 ml)
1 cuil. à table (15 ml) d'herbes salées
1 cuil. à table (15 ml) de concentré de poulet
Poivre au goût
1/4 tasse (60 ml) de riz minute
1 tasse (250 ml) de navet blanc râpé
1 tasse (250 ml) de feuilles de céleri hachées fin

Préparation

Dans une marmite de 8 pintes (9 litres), amener l'eau à ébullition et y verser tous les ingrédients. Cuire à feu doux de 30 à 40 minutes.

Pour 1 portion de 6 onces (200 ml), enlever 1 équivalent de légumes B.

SOUPE À L'OIGNON

(6 portions)

Ingrédients

4 tasses (1 litre) d'eau
2 tasses (500 ml) de jus de tomate
1 enveloppe de mélange pour soupe à l'oignon
2 tasses (500 ml) de céleri haché fin
1 tasse (250 ml) de carottes râpées
Poivre au goût
Sel de légumes au goût

Préparation

Dans une marmite de 8 pintes (9 litres), faire bouillir l'eau et le jus de tomates. Ajouter le mélange de soupe à l'oignon et le reste des ingrédients. Cuire à feu doux de 40 à 50 minutes.

Pour 1 portion de 6 onces (200 ml), enlever 1 équivalent de légumes B.

SOUPE AUX CHOUX DE BRUXELLES

(12 portions)

Ingrédients

Eau
1 tasse (250 ml) de jus de tomate
1 cuil. à table (15 ml) de concentré de boeuf
2 tasses (500 ml) de choux de Bruxelles coupés en petits morceaux
1/2 tasse (125 ml) de feuilles de céleri
1 cuil. à table (15 ml) de ciboulette
1/2 cuil. à thé (2 ml) de sel d'oignon
Poivre au goût

Préparation

Dans une marmite de 6 pintes (7 litres) remplie à moitié d'eau, verser le jus de tomate et le reste des ingrédients. Cuire à feu doux de 30 à 35 minutes en brassant de temps en temps.

Bonus: 2 tasses (500 ml) de soupe.

SOUPE AU SAUMON

(4 portions)

Ingrédients

2 tasses (500 ml) de lait 2%
1 tasse (250 ml) d'eau
2 cuil. à table (30 ml) de sauce Worcestershire
1 échalote hachée fin
1 cuil. à table (15 ml) d'herbes salées
16 onces (450 g) de saumon en boîte égoutté et défait en
*   morceaux*
Poivre au goût

Préparation

Dans une grande marmite, verser tous les ingrédients.
Laisser mijoter à feu doux de 6 à 8 minutes et servir.

Pour 1 portion, enlever 1/2 équivalent de lait plus 4 onces
(120 g) de viande.

SOUPE AU RIZ ET AUX CAROTTES

(8 portions)

Ingrédients

8 tasses (2 litres) d'eau
1/2 tasse (125 ml) de poireau
1/2 tasse (125 ml) de chou râpé
1/2 tasse (125 ml) de carottes râpées
1/2 tasse (125 ml) de riz minute cru
1 tasse (250 ml) de jus de tomate
2 cuil. à table (30 ml) de concentré de boeuf (ou plus si désiré)
1/4 cuil. à thé (1 ml) de poivre
Sel de légumes au goût

Préparation

Dans une marmite de 8 pintes (9 litres), faire chauffer l'eau à feu moyen, et y ajouter tous les ingrédients. Laisser mijoter à feu doux en brassant de temps à autre, pendant 35 à 40 minutes.

Pour 1 portion, enlever 1 équivalent de légumes B plus 1/4 équivalent de pain. 1 portion égale 1 tasse (250 ml).

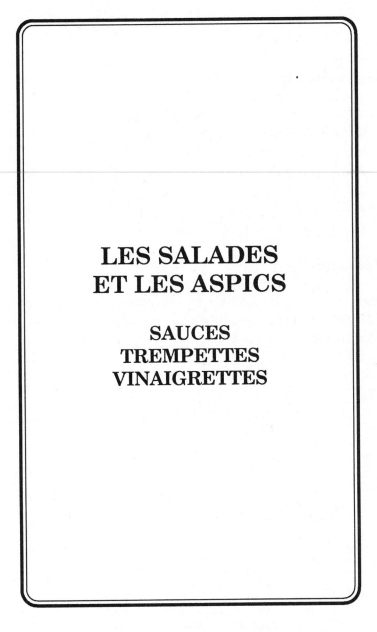

LES SALADES
ET LES ASPICS

SAUCES
TREMPETTES
VINAIGRETTES

SEL SANTÉ

(substitut du sel)

Ingrédients

1 cuil. à table (15 ml) de paprika
1 cuil. à table (15 ml) de poudre d'ail
1 cuil. à table (15 ml) de moutarde sèche
1/4 cuil. à thé (1 ml) de sarriette
5 cuil. à thé (25 ml) de poudre d'oignon
1/2 cuil. à thé (2 ml) de poivre noir
1/4 cuil. à thé (1 ml) de graines de céleri

Préparation

Dans un petit plat, mélanger les ingrédients à l'aide d'un petit fouet. Verser le tout dans une salière et saupoudrer les aliments à votre goût.

On peut consommer ce substitut du sel à volonté.

MAYONNAISE LÉGÈRE

(1 1/2 tasse/375 ml)

Ingrédients

2 cuil. à table (30 ml) de fécule de maïs
1/2 cuil. à thé (2 ml) de sel de légumes
1/2 cuil. à thé (2 ml) de moutarde en poudre
1/4 cuil. à thé (1 ml) de poivre
1/4 cuil. à thé (1 ml) de poivre de Cayenne
1/4 cuil. à thé (1 ml) de sel de céleri
1 tasse (250 ml) de lait 2%
1 cuil. à table (15 ml) de vinaigre
2 cuil. à table (30 ml) de jus de citron
1 blanc d'oeuf battu en neige très ferme

Préparation

Dans une petite marmite, mélanger la fécule de maïs, le sel de légumes, la moutarde, le poivre, le poivre de Cayenne, le sel de céleri et le lait. Cuire à feu doux en brassant continuellement jusqu'à ce que le mélange épaississe. Laisser refroidir. Ajouter le vinaigre, le jus de citron et le blanc d'oeuf. Bien mélanger. Se conserve au réfrigérateur pendant quelques jours.

3 cuil. à thé (15 ml) de cette mayonnaise est un bonus.

SALADE GRECQUE

(4 portions)

Ingrédients

*1 pomme de laitue (romaine ou Boston) lavée, égouttée et
déchiquetée*
*12 onces (360 g) de fromage fêta coupé en morceaux, rincé
à l'eau froide*
14 olives noires dénoyautées
Tomates rouges coupées en quartiers (au goût)
Concombres coupés en quartiers (au goût)
Champignons coupés en deux (au goût)

VINAIGRETTE

Ingrédients

4 onces (125 ml) de yogourt léger nature
2 cuil. à thé (10 ml) de vinaigre
1 cuil. à thé (5 ml) de flocons d'orégano
Sel de légumes au goût
Persil au goût

Préparation

Dans un bol à salade, déposer la salade, le fromage fêta,
les olives, les tomates, les concombres et les champignons. Dans un autre petit plat, verser le yogourt, le
vinaigre, l'orégano, le sel de légumes, le persil; bien
mélanger. Verser cette vinaigrette sur la salade et servir.

Pour 1 portion, enlever 3 onces (90 g) de viande plus 1/2
équivalent de matière grasse.

42

SALADE SANTÉ

(1 portion)

Ingrédients

1 tasse (250 ml) de champignons
1/2 tasse (125 ml) de haricots jaunes ou verts
1 tomate coupée en petits morceaux
2 cuil. à table (30 ml) de flocons de bacon émiettés
3 onces (90 g) de fromage blanc râpé

VINAIGRETTE

Ingrédients

2 cuil. à thé (10 ml) de mayonnaise réduite en calories
2 cuil. à thé (10 ml) de moutarde
2 onces (60 ml) de lait 2%

Préparation

Dans un bol, placer les ingrédients de la salade. Dans un autre petit plat, mélanger les ingrédients de la vinaigrette et verser sur la salade. Servir.

Pour cette portion, enlever 3 onces (90 g) de viande plus 1 équivalent de matière grasse plus 2 onces (60 ml) de lait.

SALADE DE LÉGUMES

(2 portions)

Ingrédients

1 laitue Boston lavée, essorée et déchiquetée
1/2 tasse (125 ml) de macédoine égouttée
2 cuil. à table (30 ml) de simili-bacon émietté
3 onces (90 g) de poulet cuit coupé en morceaux
3 onces (90 g) de fromage blanc râpé
3 tranches de concombre coupées en petits morceaux
Sel de légumes au goût
4 cuil. à table (60 ml) de vinaigrette au concombre réduite
    en calories

Préparation

Dans un bol profond, mélanger tous les ingrédients et servir.

Pour 1 portion, enlever 1/2 équivalent de légumes B plus 3 onces (90 g) de viande plus 1 équivalent de matière grasse.

SALADE DE CAROTTES

(2 portions)

Ingrédients

1 tasse (250 ml) de carottes semi-cuites coupées en rondelles
1 tasse (250 ml) de champignons coupés en petits morceaux
1/4 cuil. à thé (1 ml) de sel de légumes
4 cuil. à thé (20 ml) de vinaigrette au concombre réduite en calories

Préparation

Dans un bol à salade, mélanger les ingrédients et servir.

Pour 1 portion, enlever 1 équivalent de légumes B plus 1 équivalent de matière grasse.

SALADE DE CHICORÉE AUX BLANCS D'OEUFS

(1 portion)

Ingrédients

Feuilles de chicorée rincées à l'eau froide et déchiquetées
2 oeufs cuits à la coque (couper les blancs en tranches et
*   enlever les jaunes)*
7 olives noires dénoyautées coupées en deux
2 cuil. à table (30 ml) de vinaigrette crémeuse au con-
*   combre réduite en calories*
Sel de légumes au goût

Préparation

Dans un bol profond, mélanger les ingrédients et servir.

Pour cette portion, enlever 1 équivalent de matière grasse.

SALADE DE PISSENLIT

(2 portions)

Ingrédients

Feuilles de pissenlit lavées, égouttées et déchiquetées
1 tranche de pain rôti coupée en petits cubes
1 échalote hachée fin
4 asperges semi-cuites coupées en petits morceaux

VINAIGRETTE
Ingrédients

2 cuil. à thé (10 ml) de mayonnaise réduite en calories
   diluée dans 2 onces (60 ml) de lait 2%
1 cuil. à thé (5 ml) de citron ou de vinaigre
Sel de légumes au goût
1/2 cuil. à thé (2 ml) de sel de céleri

Préparation

Dans un bol à salade, mélanger les feuilles de pissenlit, les cubes de pain, l'échalote et les asperges. Laisser en réserve. Dans un autre petit bol, mélanger les ingrédients de la vinaigrette. Verser sur la salade, bien mélanger et servir.

Pour 1 portion, enlever 1/2 équivalent de matière grasse plus1 once (30 ml) de lait plus 1/2 équivalent de pain.

SALADE MULTICOLORE

(2 portions)

Ingrédients

Salade de jardin ou Boston déchiquetée
3/4 tasse (200 ml) de carottes crues râpées
1 pomme (avec sa pelure) lavée, coupée en petits morceaux
1/2 concombre coupé en petits morceaux
1 tomate coupée en petits morceaux
1 poire pelée et coupée en petits morceaux
6 onces de poulet (180 g) cuit (ou de thon) défait en morceaux
2 cuil. à table (30 ml) de limette râpée
4 cuil. à table (60 ml) de vinaigrette réduite en calories à la saveur de votre choix

Préparation

Dans un plat à salade, mélanger les ingrédients, y verser la vinaigrette et servir.

Pour 1 portion, enlever 1/2 équivalent de légumes B plus 1 équivalent de fruit plus 3 onces (90 g) de viande plus 1 équivalent de matière grasse.

Salade multicolore, page 48

Macaroni aux pois mange-tout, page 99

Tofu à l'échalote, page 109

Coquilles du pêcheur, page 110

SALADE DE CHOU-FLEUR

(2 portions)

Ingrédients

1 petite laitue Boston lavée, égouttée et déchiquetée
1 tasse (250 ml) de chou-fleur coupé en petits morceaux
4 tranches de concombre coupées en petits morceaux
5 olives vertes coupées en deux
2 cuil. à thé (10 ml) de mayonnaise réduite en calories
*   diluée dans 2 cuil. à table (30 ml) de jus d'olive*
Poivre au goût
1/2 cuil. à thé (2 ml) d'épices à salade

Préparation

Dans un bol profond, mélanger les ingrédients et servir.

Pour 1 portion, enlever 1 équivalent de matière grasse.

SALADE DE CÉLERI ET DE TOMATES ÉTUVÉES

(2 portions)

Ingrédients

1 tasse (250 ml) de céleri coupé en morceaux
1 tasse (250 ml) de tomates étuvées
1/2 piment vert coupé en lanières
1 cuil. à table (15 ml) de ciboulette
1 échalote hachée très fin
Sel de légumes au goût

Préparation

Dans un bol (avec un couvercle), mélanger tous les ingrédients.

Cette salade peut être consommée à volonté. Elle se conserve au réfrigérateur pendant plusieurs jours.

SALADE D'HARICOTS

(2 portions)

Ingrédients

1 boîte de 14 onces (438 ml) de fèves jaunes égouttées
1/2 piment rouge haché très fin
2 échalotes hachées très fin
1 cuil. à table (15 ml) de vinaigrette sans huile (réduite en
*   calories)*

Préparation

Dans un bol à salade, mélanger tous les ingrédients.
Réfrigérer pendant une demi-heure avant de servir.

2 tasses (500 ml) de cette salade est un bonus.

ASPIC AUX LÉGUMES

(2 portions)

Ingrédients

1 sachet de gélatine sans saveur diluée dans 1 tasse (250 ml) d'eau bouillante et 3/4 tasse (200 ml) d'eau froide
1/2 tasse (125 ml) de carottes râpées
1/2 tasse (125 ml) de chou râpé
1/2 tasse (125 ml) d'oignons râpés
4 cuil. à thé (20 ml) de mayonnaise réduite en calories
Quelques gouttes de jus de citron
Poivre au goût
Sel de légumes au goût

Préparation

Dans un plat, diluer la gélatine dans l'eau bouillante. Ajouter l'eau froide et les autres ingrédients. Verser dans un moule à aspic et ranger au réfrigérateur pendant 1 heure avant de servir.

Pour 1 portion, enlever 1/2 équivalent de légumes B plus 1 équivalent de matière grasse.

SALADE DE POULET

(1 portion)

Ingrédients

3 onces (90 g) de poulet cuit
1/2 tasse (125 ml) de concombre coupé en cubes
Laitue romaine, lavée, égouttée et déchiquetée
1 tomate coupée en petits quartiers
2 radis hachés très fin
1 échalote hachée très fin
Pincée de sarriette
Sel de légumes au goût
2 cuil. à table (30 ml) de vinaigrette réduite en calories à la saveur de votre choix

Préparation

Dans un bol à salade, mélanger les ingrédients et arroser de la vinaigrette.

Pour cette portion, enlever 1 équivalent de matière grasse et 3 équivalents de viande.

SALADE DE CHOU

(4 portions)

Ingrédients

1/2 chou râpé
1 échalote hachée fin
1/2 tasse (125 ml) de carottes râpées
1/4 tasse (60 ml) de relish
4 cuil. à thé (20 ml) de mayonnaise
1 cuil. à thé (5 ml) d'eau froide
Poivre au goût
Sel de légumes au goût
1 cuil. à table (15 ml) de jus de citron

Préparation

Dans un bol à salade, verser tous les ingrédients. Bien mélanger et servir.

Pour 1 portion, enlever 1 équivalent de matière grasse.

VINAIGRETTE POUR SALADE DE CHOU

(4 portions)

Ingrédients

1/4 tasse (60 ml) de vinaigre
4 cuil. à thé (20 ml) d'huile végétale
1/2 sachet de substitut de sucre
Sel de légumes au goût
Poivre au goût
1/2 cuil. à thé (2 ml) de graines de céleri

Préparation

Dans un petit plat, mélanger les ingrédients et verser sur la salade de chou.

Pour 1 portion, enlever 1 équivalent de matière grasse.

SAUCE POUR ROSBIF

(2 portions)

Ingrédients

1 tasse (250 ml) de thé infusé
Sel de légumes au goût
Poivre au goût
Épices à bifteck au goût
1 cuil. à table (15 ml) de concentré de boeuf
1/4 tasse (60 ml) de sauce Chili
1 échalote hachée fin
1/4 tasse (60 ml) de piment vert haché très fin
1 1/4 cuil. à table (20 ml) de fécule de maïs diluée dans
    1/4 tasse (60 ml) d'eau froide

Préparation

Dans une petite marmite, verser les 8 premiers ingrédients et laisser mijoter à feu doux quelques minutes. Épaissir avec la fécule de maïs diluée.

Pour 1 portion, enlever 1/4 d'équivalent de pain.

SAUCE BÉCHAMEL

(4 portions)

Ingrédients

2 cuil. à thé (10 ml) de margarine réduite en calories
Le blanc d'une échalote haché très fin
2 tasses (500 ml) de lait 2%
1 cuil. à thé (5 ml) de persil
1/4 cuil. à thé (1 ml) de sel de légumes
1/4 cuil. à thé (1 ml) de poivre
4 cuil. à table (60 ml) de fécule de maïs diluée dans 1/3
    tasse (75 ml) d'eau froide

Préparation

Dans une poêle profonde, à feu moyen, faire dorer la margarine avec l'échalote. Ajouter le lait, le persil, le sel et le poivre. Chauffer jusqu'à ébullition. A l'aide d'un fouet, épaissir avec la fécule de maïs diluée en brassant continuellement.

Pour 1 portion enlever 1/4 d'équivalent de matière grasse plus 1/2 équivalent de lait plus 1/2 équivalent de pain.

SAUCE AU CARI

(1 portion)

Ingrédients

1 cuil. à thé (5 ml) de margarine réduite en calories
1 1/4 cuil. à table (20 ml) de farine
4 onces (125 ml) de lait 2%
1 cuil. à thé (5 ml) de cari
1 jaune d'oeuf battu légèrement
Poivre au goût

Préparation

Dans une petite marmite, à feu doux, faire fondre la margarine. Ajouter la farine et, en brassant continuellement, verser le lait et le cari. Mijoter quelques minutes. Ajouter le jaune d'oeuf et bien brasser. Cette sauce est délicieuse avec les poissons, la dinde et le poulet.

Pour cette portion, enlever 1/2 équivalent de matière grasse plus 1/2 équivalent de pain plus 1/2 équivalent de lait et 1 once (30 g) de viande.

SAUCE CHILI

(4 portions)

Ingrédients

1/4 tasse (60 ml) d'échalote hachée très fin
1/2 tasse (125 ml) d'eau
1/2 cuil. à thé (2 ml) d'huile végétale
1 sachet de substitut de sucre (facultatif)
2 cuil. à thé (10 ml) de vinaigre
1 cuil. à table (15 ml) de sauce Worcestershire
1 tasse (250 ml) de sauce Chili

Préparation

Dans une petite marmite, verser les ingrédients et laisser mijoter à feu doux de 12 à 15 minutes. Cette sauce est délicieuse avec le boeuf haché et le boeuf en tranches.

1/4 tasse (60 ml) de cette sauce est un bonus.

SAUCE POUR POISSON

(2 portions)

Ingrédients

1 boîte de tomates étuvées de 19 onces (540 ml)
1 échalote hachée très fin
2 gousses d'ail hachées très fin
1 cuil. à table (15 ml) de persil
1 cuil. à table (15 ml) de ciboulette
2 cuil. à table (30 ml) de sauce à bifteck piquante

Préparation

Dans une marmite, verser les ingrédients. Laisser mijoter à feu doux de 5 à 7 minutes.

Cette sauce peut être consommée à volonté.

SAUCE RÉDUITE EN CALORIES

Ingrédients

1/2 tasse (125 ml) d'échalotes hachées très fin
1 tasse (250 ml) de ketchup
1/2 tasse (125 ml) d'eau froide
1/4 cuil. à table (4 ml) de jus de citron
3 cuil. à table (45 ml) de sauce Worcestershire
1/2 cuil. à thé (2 ml) de moutarde préparée
2 cuil. à table (30 ml) de vinaigre
1 sachet de substitut de sucre (facultatif)
1/2 cuil. à thé (2 ml) de sel de légumes
3 à 4 grains de poivre rouge écrasés

Préparation

Dans une petite marmite, mélanger tous les ingrédients
et faire mijoter à feu doux de 10 à 15 minutes.

1/4 de tasse (60 ml) de cette sauce égale un bonus.

TREMPETTE AU TOFU

(2 portions)

Ingrédients

6 onces (200 ml) de yogourt léger nature
1/2 tasse (125 ml) de tofu aux fines herbes
2 cuil. à table (30 ml) de sauce Chili
1/8 cuil. à thé (1 pincée) de sel de céleri
1/8 cuil. à thé (1 pincée) d'épices à salade

Préparation

Passer tous les ingrédients ensemble au mélangeur et servir.

Pour 1 portion, enlever 1 équivalent de fruit plus 1/2 once (15 g) de viande.

TREMPETTE AU DAMABLANC

(1 portion)

Ingrédients

1/4 tasse (60 ml) de fromage Damablanc à .5% de matière grasse
1/2 cuil. à thé (2 ml) de ciboulette
1/8 cuil. à thé (1 pincée) de sel de légumes
Poivre au goût
1 cuil. à table (15 ml) de ketchup
1/8 cuil. à thé (1 pincée) d'épices à salade

Préparation

Dans un petit plat, mélanger tous les ingrédients et servir.

Pour cette portion, enlever 1 once (30 g) de viande.

TREMPETTE AU CARI

Ingrédients

*4 onces (125 ml) de yogourt léger nature ou de fromage
    Damablanc à .5% de matière grasse*
Le blanc d'une échalote haché très fin
1/2 tasse (125 ml) de feuilles de céleri hachées fin
1/2 tomate coupée en petits morceaux
4 tranches de concombre coupées en petits morceaux
1/2 cuil. à thé (2 ml) de cari
Sel de légumes au goût
Poivre au goût

Préparation

Passer tous les ingrédients au mélangeur et servir dans un plat à trempette.

Cette recette est un bonus lorsqu'on y trempe des crudités.

VINAIGRETTE MINUTE

(2 portions)

Ingrédients

4 1/2 onces (150 ml) de yogourt léger nature
1/4 tasse (60 ml) de jus d'ananas sans sucre
Un soupçon de sel de légumes
Un soupçon de poivre
1/2 cuil. à thé (2 ml) de persil
1 cuil. à thé (5 ml) de simili-bacon émietté

Préparation

Dans un petit plat, mélanger les ingrédients et verser sur la salade de votre choix.

Pour 1 portion, enlever 1 équivalent de fruit.

VINAIGRETTE AU CITRON

========================

(1 portion)

Ingrédients

2 cuil. à thé (10 ml) de mayonnaise réduite en calories
2 cuil. à thé (10 ml) d'eau froide
Poivre au goût
Pincée de sel
Quelques gouttes de jus de citron
1 cuil. à thé (5 ml) de vinaigre

Préparation

Dans un petit plat, mélanger tous les ingrédients et verser sur la salade de votre choix.

========================

Pour cette portion, enlever 1 équivalent de matière grasse.

VINAIGRETTE DIÈTE

Ingrédients

1 tasse (250 ml) de jus de tomate
1/4 tasse (60 ml) de vinaigre
1 cuil. à thé (5 ml) de moutarde en poudre
3 cuil. à thé (15 ml) de basilic
2 gousses d'ail émincées
1/2 piment vert haché très fin

Préparation

Dans un bol, mélanger tous les ingrédients et verser sur la salade de votre choix.

Cette vinaigrette est permise à volonté.

ASPIC DE CONCOMBRE

(2 portions)

Ingrédients

*1 enveloppe de Jell-O léger à la saveur de citron dilué dans
1 tasse (250 ml) d'eau bouillante et 3/4 tasse (200 ml)
d'eau froide
1/4 cuil. à thé (1 ml) de sel de légumes
1 cuil. à thé (5 ml) de vinaigre
1 tasse (250 ml) de céleri coupé en petits dés
1 concombre pelé et coupé en petits morceaux
1 échalote hachée très fin*

Préparation

Dans un plat, mélanger tous les ingrédients et verser
dans un moule à aspic. Ranger au réfrigérateur pendant
1 heure avant de servir.

Cette recette est permise à volonté.

ASPIC AU THON

(2 portions)

Ingrédients

*2 sachets de gélatine sans saveur (voir le mode d'emploi
     sur l'enveloppe)*
6 onces (200 ml) de yogourt léger nature
1/4 cuil. à thé (1 ml) de sel de légumes
2 cuil. à table (30 ml) de jus de citron
*1 boîte de thon émietté de 3,75 onces (105 g), rincé à l'eau
     froide et égoutté*
1/2 tasse (125 ml) de céleri haché fin
1/4 tasse (60 ml) de piment vert haché fin
1/4 tasse (50 ml) de sauce Chili
1 cuil. à table (15 ml) de sel d'oignon
1/4 tasse (60 ml) de piment rouge haché fin

Préparation

Dans un bol, mélanger les ingrédients et verser dans un
moule à aspic vaporisé d'enduit végétal. Placer au
réfrigérateur environ 1 1/2 heure. Démouler dans une
assiette et décorer de feuilles de laitue, de quartiers de
tomates et de citron.

Pour 1 portion, enlever 1 équivalent de fruit plus 2 onces
(60 g) de viande.

ASPIC AU POULET OU À LA DINDE

(3 portions)

Ingrédients

9 onces (270 g) de poulet cuit haché fin ou de dinde hachée
   fin
1/2 tasse (125 ml) de céleri haché fin
6 onces (200 ml) de jus de tomate
1 gousse d'ail hachée fin
1/2 tasse (125 ml) de piment vert haché fin
1/2 tasse (125 ml) de piment rouge haché fin
1/8 cuil. à thé (1 pincée) de sarriette
1/8 cuil. à thé (1 pincée) de basilic
1/8 cuil. à thé (1 pincée) d'orégano
1 tasse (250 ml) de bouillon de poulet
2 sachets de gélatine sans saveur diluée dans 1/2 tasse
   (125 ml) d'eau froide

Préparation

Dans une poêle, mélanger les 10 premiers ingrédients et
laisser mijoter à feu doux environ 15 minutes. Ajouter la
gélatine diluée. Bien mélanger et verser dans un moule
à aspic. Déposer au réfrigérateur 1 heure avant de servir.

Pour 1 portion, enlever 3 onces (90 g) de viande.

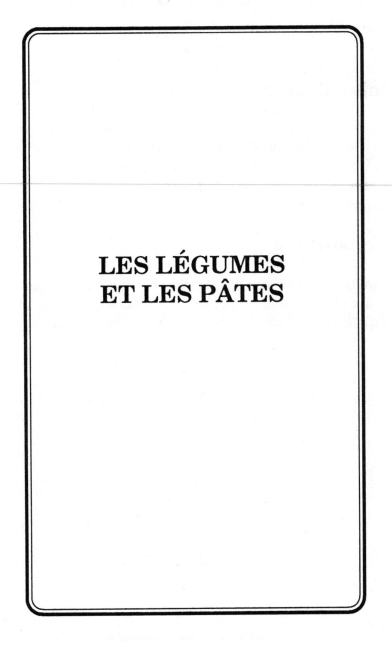

LES LÉGUMES
ET LES PÂTES

CHOUX DE BRUXELLES À LA SAUCE WORCESTERSHIRE

Ingrédients

12 choux de Bruxelles cuits (environ 15 minutes dans l'eau) et égouttés (garder en réserve)
1/2 tasse (125 ml) de sauce Worcestershire
1 cuil. à thé (5 ml) de moutarde
Poivre au goût

Préparation

Dans une petite marmite, verser la sauce, la moutarde et le poivre. Laisser chauffer à feu doux jusqu'au point d'ébullition. Placer les choux de Bruxelles dans un plat de service, arroser de la sauce et servir.

Cette recette est un bonus.

CAROTTES CITRONNÉES PARFUMÉES AUX FINES HERBES

(2 portions)

Ingrédients

1 tasse (250 ml) de carottes cuites coupées en rondelles
Jus d'un citron
Sel de légumes au goût
Persil au goût
Ciboulette au goût
Poivre au goût

Préparation

Dans un plat, verser les carottes chaudes arrosées du jus de citron. Saupoudrer de sel de légumes, de persil, de ciboulette et de poivre. Servir.

Pour 1 portion, enlever 1 équivalent de légumes B.

CONCOMBRES EN CONSERVE

Ingrédients

6 gros concombres
Gros sel
Glaçons
2 tasses (500 ml) de vinaigre
1 tasse (250 ml) d'eau
2 cuil. à table (30 ml) de sucre

Préparation

Couper les concombres en deux dans le sens de la longueur, en retirer les graines et les trancher. Dans un grand bol, faire un rang de concombre, un rang de gros sel, un rang de concombre, un rang de gros sel et laisser reposer pendant 12 heures. Dans une passoire, égoutter les concombres. NE PAS RINCER A L'EAU FROIDE. Dans des grands bols, disposer un rang de concombre, un rang de glaçons, un rang de concombre, un rang de glaçons et attendre quelques heures jusqu'à ce que la glace soit fondue sur les concombres. Égoutter les concombres avant de les verser dans les bocaux stérélisés. Dans une marmite, faire chauffer le vinaigre, l'eau et le sucre jusqu'au point d'ébullition. Verser ce liquide dans les bocaux. Laisser refroidir et bien fermer les couvercles.

Bonus: de 8 à 9 morceaux de concombre par jour.

HARICOTS JAUNES AU FROMAGE

(1 portion)

Ingrédients

2 tasses (500 ml) d'haricots jaunes cuits
1/2 cuil. à thé (2 ml) d'épices à salade
1/2 cuil. à thé (2 ml) de sel de légumes
Poivre au goût
3 onces (90 g) de fromage blanc râpé
Paprika au goût

Préparation

Dans une assiette, disposer les haricots. Saupoudrer de sel de légumes, de poivre, d'épices à salade, de fromage râpé et de paprika si désiré.

Pour cette portion, enlever 1 équivalent de légumes B plus 3 onces (90 g) de viande.

MAÏS EN ÉPIS CUITS À LA VAPEUR

(4 portions)

Ingrédients

4 épis de maïs entiers (ne pas éplucher)
Eau
Sel de légumes au goût

Préparation

Faire tremper les épis non épluchés dans l'eau froide pendant 30 minutes. Les égoutter et les faire cuire sur le gril à médium en les tournant 2 fois. Retirer du feu, enlever la pelure, saler si désiré et servir.

Pour 1 épi de maïs de 5 pouces (12,5 cm) environ, enlever 1 équivalent de pain.

80

DÉLICE AU CHOU

(2 portions)

Ingrédients

1 cuil. à thé (5 ml) de margarine réduite en calories
1 tasse (250 ml) de chou râpé
1 échalotte hachée fin
1 tomate coupée en quartiers
Poivre au goût
1 cuil. à table (15 ml) de persil

Préparation

Dans une grande poêle, faire fondre la margarine, y ajouter les autres ingrédients et cuire à feu doux pendant 15 minutes environ. Si désiré, ajouter 1/2 tasse (125 ml) de jus de tomate.

2 tasses (500 ml) par jour égale un bonus. Si plus de 2 tasses (500 ml), enlever 1 équivalent de légumes B.

POIREAU MEXICAIN

(2 portions)

Ingrédients

2 tasses (500 ml) de poireau haché
1 piment vert coupé en petits morceaux
1 piment rouge coupé en petits morceaux
3 cuil. à table (45 ml) de ketchup
1 cuil. à table (15 ml) de concentré de boeuf dilué dans
*   1/2 tasse (125 ml) d'eau*
1 cuil. à table (15 ml) de ciboulette
Poivre au goût
2 cuil. à table (30 ml) de sauce Chili

Préparation

Faire cuire le poireau dans l'eau de 4 à 5 minutes; égoutter. Dans un plat allant au four, mélanger tous les ingrédients. Cuire au four à 350°F (175°C) de 10 à 12 minutes.

1 tasse (250 ml) égale un bonus. Si plus d'une tasse (250 ml), enlever 1 équivalent de légumes B.

SPAGHETTI AU CHOU-FLEUR

(2 portions)

Ingrédients

2 tasses (500 ml) de chou-fleur semi-cuit et défait en bouquets
1/2 cuil. à thé (2 ml) de sel de légumes
1 tasse (250 ml) de sauce à spaghetti à la viande
2 onces (60 g) de fromage blanc râpé

Préparation

Dans une assiette, déposer le chou-fleur et le napper de sauce à spaghetti à la viande. Assaisonner de sel de légumes, couvrir de fromage et servir.

Pour 1 portion, enlever 3 onces (90 g) de viande.

CHOU MARINÉ

Ingrédients

1 chou râpé
6 carottes râpées ou coupées en petits cubes
1 oignon haché fin

VINAIGRETTE
Ingrédients

1 tasse (250 ml) de vinaigre
1/2 tasse (125 ml) d'huile
1/2 tasse (125 ml) d'eau
2 cuil. à table (30 ml) de substitut de sucre
1/2 cuil. à thé (2 ml) de sel
1 pincée de moutarde sèche

Préparation

Dans une marmite, faire bouillir les ingrédients de la vinaigrette pendant 1 minute. Verser sur les légumes et laisser refroidir. Se conserve 1 mois au réfrigérateur.

Pour 1 portion d'une demi-tasse (125 ml), enlever 1 équivalent de légumes B plus 1 équivalent de matière grasse.

ZUCCHINI À LA CHINOISE

(2 portions)

Ingrédients

2 cuil. à thé (10 ml) d'huile de tournesol
2 échalotes hachées fin
2 gousses d'ail hachées fin
1 zucchini moyen coupé en petits morceaux
1/2 tasse (125 ml) d'eau
2 cuil. à table (30 ml) de sauce soya

Préparation

Dans une poêle, verser l'huile et y faire dorer les échalotes et l'ail. Ajouter le zucchini, l'eau, la sauce soya et laisser mijoter à feu doux de 10 à 12 minutes.

Pour 1 portion, enlever 1 équivalent de matière grasse.

CHOP SUEY AUX LÉGUMES VERTS

(2 portions)

Ingrédients

*1 boîte de fèves germées (chop suey) de 28 onces (796 ml),
     égouttées*

Eau
2 cuil. à table (30 ml) de ketchup
1 piment vert coupé en lanières
1/2 tasse (125 ml) de feuilles de céleri
1 tasse (250 ml) de brocoli semi-cuit
1/2 tasse (125 ml) de poireau coupé en petits morceaux
2 échalotes hachées fin
Sel de légumes au goût
*2 cuil. à table (30 ml) de fécule de maïs diluée dans
     1/4 tasse (60 ml) d'eau froide*
Poivre au goût

Préparation

Dans une poêle T-Fal, chauffer à feu doux les fèves germées, ajouter de l'eau à l'égalité de celles-ci, le ketchup, le piment, les feuilles de céleri, le brocoli, les échalotes et le sel de légumes. Laisser mijoter 20 minutes. Incorporer la fécule de maïs diluée en brassant continuellement. Laisser mijoter quelques minutes et servir.

Pour 1 portion, enlever 1/2 équivalent de pain.

PURÉE AUX LÉGUMES

(2 portions)

Ingrédients

2 à 3 navets blancs pelés et coupés en morceaux
1/4 chou-fleur défait en petits bouquets
2 cuil. à table (30 ml) de relish verte
Sel de légumes au goût
Poivre au goût
1 cuil. à thé (5 ml) de ciboulette
Paprika au goût

Préparation

Dans une marmite, verser les navets et le chou-fleur. Faire cuire dans un peu d'eau de 10 à 12 minutes environ et égoutter. Avec l'aide d'une mixette, réduire en purée, ajouter le reste des ingrédients, saupoudrer de paprika et servir.

2 tasses (500 ml) de cette recette est un bonus.

RIZ ESPAGNOL

(4 portions)

Ingrédients

2 tasses (500 ml) de riz cuit
2 cuil. à thé (10 ml) d'huile de tournesol
1/2 tasse (125 ml) de poireau haché fin
1/2 tasse (125 ml) de feuilles de céleri hachées fin
1 tasse (250 ml) de tomates étuvées (ou plus si désiré)
1/2 cuil. à thé (2 ml) de basilic
Sel de légumes au goût
Poivre au goût

Préparation

Dans une poêle T-Fal, chauffer l'huile et y faire revenir le poireau et les feuilles de céleri. Ajouter les tomates étuvées, le basilic, le sel de légumes, le poivre et chauffer. Mélanger délicatement avec le riz en laissant mijoter quelques minutes si désiré. Servir sur un lit d'épinards.

Pour 1 portion, enlever 1 équivalent de pain plus 1/2 équivalent de matière grasse.

RIZ AU BROCOLI

(8 portions)

Ingrédients

4 cuil. à thé (20 ml) d'huile de tournesol
1 échalote hachée très fin
1 tasse (250 ml) de brocoli haché très fin
2 tasses (500 ml) de riz cuit
1/2 cuil. à thé (2 ml) de sel de légumes
Poivre au goût
Paprika au goût

Préparation

Dans une poêle T-Fal, chauffer l'huile et y faire revenir l'échalote et le brocoli. Ajouter le riz et assaisonner au goût en remuant délicatement. Verser le riz dans un moule à cheminée et démouler dans une assiette. Décorer de tomates miniatures et de bouquets de brocoli.

Pour 1 portion, enlever 1/2 équivalent de matière grasse plus 1/2 équivalent de pain.

SALADE DE RIZ

(1 portion)

Ingrédients

1/2 tasse (125 ml) de riz cuit
1/4 tasse (60 ml) de piment rouge ou vert haché fin
1/4 tasse (60 ml) de céleri haché très fin
1 échalote hachée très fin
3 onces (90 g) de thon lavé et égoutté
Poivre au goût
Pincée de sel
1/2 cuil. à thé (2 ml) de poudre de cari
2 cuil. à thé (10 ml) de mayonnaise réduite en calories

Préparation

Dans un plat à salade, mélanger tous les ingrédients et servir.

Pour cette portion, enlever 1 équivalent de pain plus 3 onces (90 g) de viande et 1 équivalent de matière grasse.

SALADE DE MACARONI

(4 portions)

Ingrédients

2 tasses (500 ml) de macaroni cuit et refroidi

1 1/4 tasse (300 g) de poulet (ou 1 1/4 tasse (300 g) de
*   boeuf) cuit coupé en morceaux*

2 oeufs cuits dur coupés en petits morceaux

2 échalotes coupées très fin

1 branche de céleri coupée en petits cubes

1/2 piment vert haché fin

1 cuil. à table (15 ml) de persil

Poivre au goût

Paprika au goût

Sel de légumes au goût

4 cuil. à thé (20 ml) de mayonnaise réduite en calories

Préparation

Dans un plat, mélanger tous les ingrédients et servir.

Pour 1 portion, enlever 1 équivalent de pain plus 3 onces
(90 g) de viande et 1/2 équivalent de matière grasse.

PIZZA MINCEUR

(1 portion)

Ingrédients

1 tranche de pain rôti ou 1 pain pita de 4 pouces (10 cm) dédoublé

1/2 tasse (125 ml) de sauce à pizza

4 champignons coupés en deux

4 rondelles de piment vert

1/4 tasse (60 ml) de poireau haché

3 tranches de bacon cuit et coupé en morceaux

1 tomate coupée en morceaux

2 onces (60 g) de fromage blanc râpé

Préparation

Dans une assiette d'aluminium, déposer la tranche de pain rôti (ou le pain pita), couvrir avec les autres ingrédients et garnir de fromage blanc râpé. Cuire au four à 500°F (260°C) de 5 à 7 minutes.

Pour cette portion, enlever 1 équivalent de pain plus 1 équivalent de légumes B et 3 onces (90 g) de viande.

MAÏS EN GRAINS À L'ÉCHALOTE

(2 portions)

Ingrédients

1 tasse (250 ml) de maïs en grains égoutté
1 échalote hachée fin
1 cuil. à table (15 ml) de ciboulette
2 cuil. à table (30 ml) de simili-bacon émietté
4 onces (120 g) de fromage blanc râpé

Préparation

Dans un bol, mélanger les ingrédients et servir.

Pour 1 portion, enlever 1 équivalent de pain plus 2 onces (60 g) de viande.

SALADE DE SPAGHETTI

(4 portions)

Ingrédients

2 tasses (500 ml) de spaghetti cuit
10 olives vertes coupées en petits morceaux
2 cornichons à l'aneth coupés en petits morceaux
1/4 cuil. à thé (1 ml) de sel de légumes
Poivre au goût
1/4 cuil. à thé (1 ml) de poudre de cari
2 cuil. à table (30 ml) de flocons de bacon
2 échalotes hachées fin
1/2 tasse (125 ml) de feuilles de céleri hachées fin
2 cuil. à thé (10 ml) de mayonnaise réduite en calories diluée dans 2 cuil. à table (30 ml) du liquide des cornichons à l'aneth
Paprika au goût

Préparation

Dans un bol profond, mélanger les ingrédients, saupoudrer de paprika et servir.

Pour 1 portion, enlever 1 équivalent de pain plus 1/2 équivalent de matière grasse.

PÂTÉ AU SAUMON GRATINÉ

(12 portions)

Ingrédients

6 pains pita de blé entier de 4 pouces (10 cm)
1 1/2 tasse (375 ml) de lait 2%
2 1/2 cuil. à table (35 ml) de farine
Sel de légumes au goût
Poivre au goût
1 boîte de saumon de 15 1/2 onces (430 g) égoutté
2 carottes crues râpées
1 branche de céleri râpée
3/4 tasse (200 ml) de fromage blanc râpé

Préparation

Dans une poêle, chauffer le lait à feu doux jusqu'au point d'ébullition. Épaissir avec la farine à l'aide d'un fouet. Ajouter le sel et le poivre. Réserver. Dans un grand bol, verser le saumon en morceaux, les carottes et le céleri. Arroser de sauce et bien mélanger. Ouvrir les pains pita de quelques pouces en le dédoublant, verser le mélange dans chacun et saupoudrer de fromage râpé. Cuire au four à 375°F (190°C) de 30 à 35 minutes environ.

Pour 1 portion, enlever 2 onces (60 g) de viande plus 1 équivalent de pain plus 1 once (30 ml) de lait.

PITA AUX TÊTES DE VIOLON

(2 portions)

Ingrédients

1 pain pita de 4 pouces (10 cm) dédoublé
1 tasse (250 ml) de sauce aux tomates à l'italienne
1 tasse (250 ml) de têtes de violon semi-cuites
1/2 piment vert coupé en rondelles
1/2 piment jaune coupé en rondelles
1/2 piment rouge coupé en rondelles
4 tomates miniatures coupées en deux
8 onces (240 g) de fromage blanc râpé

Préparation

Déposer les pains pita dans 2 assiettes allant au four. Arroser de sauce aux tomates à l'italienne. Garnir de têtes de violon et de piments. Décorer de tomates miniatures et saupoudrer de fromage. Cuire au four à 450°F (235°C) de 2 à 3 minutes (ou plus si désiré).

Pour 1 pain pita, enlever 1 équivalent de pain plus 4 onces (120 g) de viande.

SPAGHETTI AU CHOU À BASSES CALORIES

(1 portion)

Ingrédients

1/2 tasse (125 ml) de spaghetti cuit
1 tasse (250 ml) de chou semi-cuit coupé en lanières
1/2 tasse (125 ml) de sauce à spaghetti
1 once (30 g) de fromage blanc râpé

Préparation

Dans un plat allant au four vaporisé d'enduit végétal, déposer le spaghetti, le chou, la sauce à spaghetti et garnir de fromage râpé. Cuire au four 500°F (260°C) de 5 à 6 minutes.

Pour cette portion, enlever 1 équivalent de pain plus 4 onces (120 g) de viande.

POMMES DE TERRE AU FROMAGE COTTAGE

(4 portions)

Ingrédients

4 pommes de terre moyennes lavées, asséchées et piquées
1 tasse (250 ml) de fromage cottage léger
1 cuil. à thé (5 ml) de ciboulette
2 cuil. à thé (10 ml) de persil
Sel de légumes au goût
Poivre au goût

Préparation

Cuire les pommes de terre au four à 450°F (235°C) de 40 à 50 minutes. Les retirer du four, les couper en deux et réserver. Dans un petit plat, verser le fromage, la ciboulette, le persil, le sel de légumes et le poivre. Bien mélanger puis verser sur les pommes de terre et servir.

Pour 1 pomme de terre, enlever 1 équivalent de pain plus 1 once (30 g) de viande.

MACARONI AUX POIS MANGE-TOUT

(4 portions)

Ingrédients

2 tasses (500 ml) de macaroni cuit égoutté
3 cuil. à thé (15 ml) d'huile de tournesol ou de Carthame
1 échalote hachée fin
7 olives noires coupées en tranches
2 cuil. à table (30 ml) de vinaigre
2 cuil. à table (30 ml) de jus de citron
1/4 cuil. à thé (1 ml) de moutarde en poudre
1 bouquet de persil
1/4 cuil. à thé (1 ml) de poivre
Sel de légumes au goût
1 tasse (250 ml) de pois mange-tout congelés
1 tasse (250 ml) de carottes cuites coupées en rondelles
1 tasse (250 ml) de champignons
12 onces de poulet cuit défait en morceaux

Préparation

Verser l'huile dans une grande poêle, chauffer et y faire dorer l'échalote. Ajouter les autres ingrédients et laisser mijoter quelques minutes. Verser le macaroni et laisser mijoter à nouveau quelques minutes en brassant délicatement. Servir.

Pour 1 portion, enlever 1 équivalent de pain plus 1 équivalent de matière grasse plus 1 équivalent de légumes B plus 3 onces (90 g) de viande.

RIZ CHINOIS

(4 portions)

Ingrédients

2 tasses (500 ml) de riz cuit
2 cuil. à thé (10 ml) d'huile de tournesol
2 échalotes hachées fin
2 branches de céleri coupées en petits morceaux
1/2 tasse (125 ml) de piment vert ou rouge coupé en minces lanières
12 onces (360 g) de poulet cuit (ou de dinde) coupé en morceaux
1/2 tasse (125 ml) de sauce soya (ou plus si désiré)

Préparation

Dans une grande poêle, chauffer l'huile et y faire revenir les échalotes, le céleri et le piment quelques secondes. Ajouter le poulet (ou la dinde) et la sauce. Laisser mijoter à feu doux de 5 à 6 minutes, incorporer le riz et servir.

Pour 1 portion, enlever 1 équivalent de pain plus 1/2 équivalent de matière grasse et 3 onces (90 g) de viande.

Rouleaux d'asperges à la dinde, page 112

Cigares au chou, page 125

Mousse au saumon, page 132

Roulés aux légumes, page 136

RIZ CHINOIS AU POIREAU

(4 portions)

Ingrédients

2 tasses (500 ml) de riz cuit
2 cuil. à thé (10 ml) d'huile de tournesol
1/2 tasse (125 ml) de poireau haché fin
1/2 tasse (125 ml) de piment rouge coupé en lanières minces
1 tasse (250 ml) de champignons coupés en deux
1 tomate coupée en quartiers
1/2 tasse (125 ml) de bouillon de boeuf (ou plus si désiré)
1/4 tasse (60 ml) de sauce Chili
12 onces (360 g) de poulet cuit (ou de dinde) coupé en morceaux

Préparation

Dans une grande poêle, chauffer l'huile et y faire revenir le poireau, le piment, les champignons et les tomates pendant quelques secondes. Ajouter le bouillon, la sauce Chili et le poulet (ou la dinde). Laisser mijoter à feu doux de 5 à 6 minutes, incorporer le riz et servir.

Pour 1 portion, enlever 1 équivalent de pain plus 1/2 équivalent de matière grasse plus 3 onces (90 g) de viande.

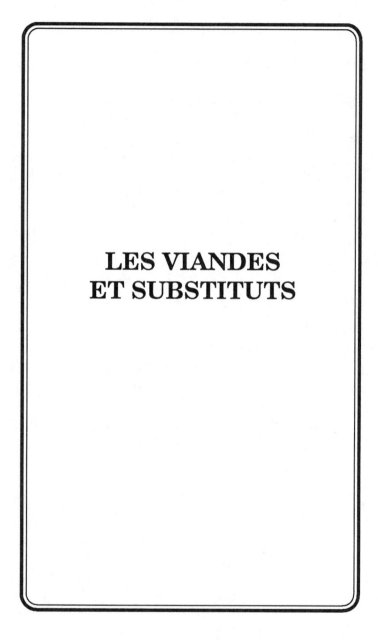

LES VIANDES
ET SUBSTITUTS

JAMBON D'AZILDA

Ingrédients

1 épaule de jambon de 4 livres (2 kg)
Eau
1 cuil. à thé (5 ml) de cannelle
1/2 tasse (125 ml) de feuilles de céleri hachées très fin
Poivre au goût
1/4 tasse (60 ml) de mélasse

Préparation

Dans une marmite de 8 pintes (9 litres), déposer le jambon, ajouter l'eau à égalité de la viande, la cannelle, les feuilles de céleri, le poivre et la mélasse. Cuire à feu doux de 3 à 3 1/2 heures.

Pour 1 portion, enlever 3 onces (90 g) de viande.

THON ARROSÉ DE SAUCE CHILI

========

(1 portion)

Ingrédients

1 boîte de thon émietté de 3,75 onces (105 g), rincé à l'eau
  froide et égoutté
1/4 tasse (60 ml) de sauce Chili
1/2 tasse (125 ml) de carottes et de pois (ou de macédoine)
1 cuil. à table (15 ml) de ciboulette

Préparation

Dans un petit poêlon, verser les ingrédients et laisser mijoter à feu doux 10 minutes environ.

========

Pour cette portion, enlever 3 onces (90 g) de viande plus 1 équivalent de légumes B.

TOFU À L'ÉCHALOTE

(1 portion)

Ingrédients

1/2 tasse (125 ml) de tofu nature ou aux fines herbes
1 échalote hachée fin
1/8 cuil. à thé (1 pincée) de poudre de cari
2 cuil. à thé (10 ml) de mayonnaise réduite en calories
Sel de légumes au goût
Poivre au goût

Préparation

Dans une assiette, déposer le tofu et l'écraser à l'aide d'une fourchette. Ajouter les autres ingrédients, bien mélanger. (Si désiré, verser ce mélange sur une tranche de pain ou sur des craquelins.)

Pour cette portion, enlever 1 once (30 g) de viande plus 1 équivalent de matière grasse.

COQUILLES DU PÊCHEUR

(4 portions)

Ingrédients

4 assiettes en coquilles
*1 recette de sauce béchamel de 4 portions (voir recette à la
    page 61)*
*12 onces (360 g) de truite (ou de filets de sole) cuite et
    défaite en petits morceaux*
4 onces (120 g) de fromage blanc râpé réduit en calories
8 crevettes moyennes rincées à l'eau froide et égouttées
Paprika au goût

Préparation

Dans un poêlon moyen, verser la sauce béchamel. Ajouter
les morceaux de truite (ou de filets de sole). Chauffer
lentement quelques minutes et verser ce mélange dans
les 4 coquilles. Disposer une once de fromage râpé sur
chacune et décorer de crevettes. Saupoudrer de paprika
si désiré. Faire gratiner au four à 500°F (260°C) quelques
minutes ou jusqu'à ce que le fromage soit bien doré.

Pour 1 coquille, enlever 1/4 d'équivalent de matière
grasse plus 1/2 équivalent de lait plus 1/2 équivalent de
pain plus 4 onces (120 g) de viande.

CROQUETTES AU THON

(2 portions)

Ingrédients

8 onces (240 g) de thon émietté rincé à l'eau froide et
égoutté
8 biscuits soda émiettés
1/4 tasse (60 ml) de lait 2%
1 cuil. à table (15 ml) de persil
1 oeuf battu légèrement
3 cuil. à table (45 ml) d'eau
Poivre au goût
Une pincée de sel de légumes

Préparation

Dans un bol, mélanger le thon, les biscuits soda, le lait et le persil. Façonner 4 croquettes et réserver. Dans un bol à soupe, mélanger l'oeuf battu, l'eau, le poivre et le sel de légumes. Tremper pendant quelques secondes les croquettes dans ce mélange. Cuire dans une poêle T-Fal vaporisée d'enduit végétal jusqu'à ce qu'elles soient bien dorées.

Pour 2 croquettes, enlever 4 onces (120 g) de viande plus 1 équivalent de pain plus 1 once (30 ml) de lait.

ROULEAUX D'ASPERGES À LA DINDE

(6 portions)

Ingrédients

12 asperges
12 tranches de poitrine de dinde cuite (1 once (30 g)
chacune)
Paprika au goût
12 onces (360 g) de fromage blanc râpé

Préparation

Rouler les 12 asperges dans les tranches de dinde. Disposer les rouleaux dans un plat allant au four vaporisé d'enduit végétal. Déposer environ 1 once (30 g) de fromage sur chacun et saupoudrer de paprika. Cuire au four à 450°F (235°C) de 2 à 3 minutes environ.

Pour 2 rouleaux, enlever 4 onces (120 g) de viande.

POULET À LA QUÉBÉCOISE

(8 portions)

Ingrédients

2 livres (1 kg) de poulet (ou de dinde) non cuit coupé en
morceaux (enlever la peau)
1 enveloppe de soupe à l'oignon non diluée
1/2 tasse (125 ml) de ketchup
1 cuil. à table (15 ml) de cassonade
1/4 tasse (60 ml) d'eau

Préparation

Dans un bol, mélanger la soupe à l'oignon, le ketchup, la cassonade et l'eau. Rouler les morceaux de poulet dans ce mélange. Les disposer dans un plat allant au four et les arroser du reste du mélange. Couvrir de papier d'aluminium et cuire pendant 11/4 heure à 400°F (205°C).

Pour 1 portion, enlever 3 onces (90 g) de viande.

POULET AUX FLOCONS DE MAÏS

(8 portions)

Ingrédients

*2 livres (1 kg) de poulet coupé en morceaux (enlever la
     peau)*
16 cuil. à thé (90 ml) de mayonnaise réduite en calories
1/2 cuil. à thé (2 ml) de sel de légumes
*1 1/2 tasse (375 ml) de flocons de maïs émiettés (Corn
     Flakes)*

Préparation

Laver et assécher les morceaux de poulet. Les tremper
ensuite dans le mélange de mayonnaise et de sel de
légumes et les rouler dans les flocons de maïs. Les placer
dans un plat allant au four vaporisé d'enduit végétal.
Cuire au four à 350°F (175°C) environ 45 minutes ou
jusqu'à ce que le poulet soit cuit à votre goût. Ne pas
couvrir ou retourner le poulet durant la cuisson. On peut
aussi utiliser de la dinde pour cette recette.

Pour 1 portion, enlever 3 onces (90 g) de viande plus 1
équivalent de matière grasse plus 1/4 d'équivalent de
pain.

POULET AU JUS DE CITRON

(1 portion)

Ingrédients

1 poitrine de poulet de 4 onces (120 g) (enlever la peau)
1/2 tasse (125 ml) de jus de citron
1/2 tasse (125 ml) d'eau
1 cuil. à thé (5 ml) de persil
Feuilles de laurier
Feuilles de céleri
Sel de légumes au goût
Poivre au goût

Préparation

Dans une poêle T-Fal vaporisée d'enduit végétal à la saveur de beurre, faire brunir la poitrine de poulet. Dans un petit plat, mélanger le jus de citron, l'eau et les épices. Verser le tout sur la poitrine de poulet et cuire lentement à feu moyen de 30 à 35 minutes (ou plus si désiré). On peut aussi la faire cuire au four à 375°F (190°C) pendant 1 1/2 heure.

Pour cette portion, enlever 3 onces (90 g) de viande.

POULET À LA RELISH

(6 portions)

Ingrédients

1 poulet de 5 à 6 livres (2,5 à 3 kg) (enlever la peau)
1/2 tasse (125 ml) de relish verte
1/2 tasse (125 ml) de poireau haché fin
1/4 tasse (60 ml) d'oignons hachés fin
Sel de légumes au goût
Poivre au goût
Eau

Préparation

Déposer le poulet dans une rôtissoire et le badigeonner de relish. Ajouter le poireau, les oignons, le sel de légumes et le poivre. Verser 2 pouces d'eau environ dans la rôtissoire. Cuire au four à 350°F (175°C) de 2 heures à 2 1/2 heures ou jusqu'à ce que le poulet soit cuit à votre goût.

Pour 1 portion, enlever 3 onces (90 g) de viande.

POITRINE DE POULET AUX POMMES

(4 portions)

Ingrédients

2 poitrines de poulet coupées en 4 morceaux (enlever la peau)

2 tasses (250 ml) de compote de pommes sans sucre mélangée avec 1/2 cuil. à thé (1 ml) de cannelle

Préparation

Déposer chaque morceau de poulet sur une feuille de papier d'aluminium épais. Placer sur chacun 1/4 tasse (60 ml) de compote de pommes. Cuire au four à 350°F (175°C) pendant 1 1/2 heure ou sur le gril de 25 à 30 minutes.

Pour 1 portion, enlever 3 onces (90 g) de viande plus 1/4 d'équivalent de fruit.

POITRINES DE POULET

(4 portions)

Ingrédients

2 poitrines de poulet
1 échalote hachée fin
2 gousses d'ail (ou plus si désiré)
2 cuil. à thé (10 ml) de gingembre
1 tasse (250 ml) de bouillon de poulet

Préparation

Enlever la peau du poulet et le faire brunir dans une poêle vaporisée d'enduit végétal. Dans un plat allant au four, déposer le poulet, l'échalote, l'ail, le gingembre et verser le bouillon de poulet. Cuire au four à 350°F (175°C) pendant 1 1/2 heure.

Pour 1 portion, enlever 3 onces (90 g) de viande.

POITRINES DE POULET FARCIES

(4 portions)

Ingrédients

2 poitrines de poulet
2 tranches de pain sec émiettées
1 branche de céleri coupée en petits morceaux
1 échalote hachée très fin
1 cuil. à table (15 ml) de persil
1 cuil. à thé (5 ml) de fines herbes
1/2 cuil. à thé (2 ml) de sel de légumes
1 oeuf battu
2 cuil. à thé (10 ml) de margarine réduite en calories
1/3 tasse (75 ml) d'eau

Préparation

Enlever la peau des poitrines de poulet. Laisser les poitrines en réserve. Dans un plat, mélanger les ingrédients et farcir les poitrines. Les déposer dans un plat allant au four. Verser 1 tasse (250 ml) d'eau dans le plat. Si désiré, saupoudrer les poitrines de paprika. Cuire au four à 350°F (170°C) environ 1 1/2 heure.

Pour 1 portion, enlever 3 onces (90 g) de viande plus 1 équivalent de pain et 1/2 équivalent de matière grasse.

PIMENT FARCI

Ingrédients

4 onces (120 g) de boeuf haché
1 tasse (250 ml) de tomates écrasées
Sel de légumes au goût
1/3 cuil. à thé (2 ml) de poudre d'ail
1 gros piment

Préparation

Couper le dessus du piment et vider l'intérieur. Dans une poêle vaporisée d'enduit végétal, faire cuire le boeuf haché en l'émiettant, ajouter les tomates, le sel de légumes et la poudre d'ail. Bien mélanger et verser ce mélange dans le piment. Cuire au four à 350°F (175°C) durant 25 à 30 minutes.

Pour cette portion, enlever 3 onces (90 g) de viande.

PIMENTS FARCIS AUX SAUCISSES

(2 portions)

Ingrédients

2 saucisses à hot dog au tofu coupées en 8 morceaux
2 tomates coupées en petits quartiers
2 pommes non pelées coupées en morceaux
1 cuil. à thé (5 ml) de margarine réduite en calories
1/4 tasse (60 ml) de crème de tomate diluée dans 3 cuil. à
    table (45 ml) d'eau
2 gros piments verts

Préparation

Dans une poêle, mélanger les 5 premiers ingrédients et
faire mijoter à un feu doux de 5 à 7 minutes. Couper le
dessus des piments et verser ce mélange à l'intérieur.
Cuire au four à 350°F (175°C) de 10 à 15 minutes.

Pour un piment, enlever 1 once (30 g) de viande plus 1
équivalent de fruit plus 1 équivalent de légumes B.

STEAK DE PORC BARBECUE

(1 portion)

Ingrédients

4 onces (120 g) de steak de porc
2 échalotes hachées très fin
1 cuil. à table (15 ml) de sauce Worcestershire
2 cuil. à table (30 ml) de vinaigre
1/4 cuil. à thé (1 ml) de poivre rouge
1/2 sachet de substitut de sucre (facultatif)
1/4 tasse (60 ml) de ketchup dilué dans 1/2 tasse (125 ml)
*   d'eau*

Préparation

Dans une poêle vaporisée d'enduit végétal, sur un feu très chaud, faire brunir le steak des deux côtés. Dans un plat allant au four, déposer le steak coupé en morceaux et y verser les autres ingrédients. Cuire au four à 400°F (205°C) de 15 à 20 minutes.

Pour cette portion, enlever 3 onces (90 g) de viande.

STEAK DE PERDRIX

(1 portion)

Ingrédients

1 cuil. à thé (5 ml) de margarine
1 poitrine de perdrix de 4 onces (120 g)
Paprika au goût
Ciboulette au goût
Poivre au goût

Préparation

Dans une poêle, faire brunir la margarine. Y déposer la poitrine de perdrix. Saupoudrer de paprika, de ciboulette et de poivre. Cuire au goût.

Pour 1 portion, enlever 3 onces (90 g) de viande et 1 équivalent de matière grasse.

CIGARES AU RIZ

(4 portions)

Ingrédients

1 livre (450 g) de porc haché très maigre
1/2 cuil. à thé (2 ml) de cannelle
1/2 cuil. à thé (2 ml) de sel de légumes (ou plus si désiré)
Poivre au goût
1/2 cuil. à thé (2 ml) de sel d'oignon
1 tasse (250 ml) de riz semi-cuit

Préparation

Dans un plat, mélanger les ingrédients et façonner quatre cigares. Cuire dans une poêle T-Fal vaporisée d'enduit végétal à feu doux jusqu'à ce que les cigares soient bien cuits et dorés.

Pour 1 cigare, enlever 3 onces (90 g) de viande et 1/2 équivalent de pain.

CIGARES AU CHOU

(6 portions)

Ingrédients

1 livre (450 g) de porc haché maigre
1/2 livre (225 g) de boeuf haché maigre
1 1/2 tasse (375 ml) de riz non cuit
1 échalote hachée très fin
Poivre au goût
Sel de légumes au goût
6 feuilles de chou ramollies dans l'eau bouillante
1 tasse (250 ml) de jus de tomate

Préparation

Dans un grand bol profond, mélanger le porc haché, le boeuf, le riz, l'échalote, le poivre et le sel de légumes. Bien mélanger les ingrédients et façonner 6 cigares de 4 onces (120 g). Les envelopper chacun dans une feuille de chou et attacher à l'aide d'un cure-dent. Dans une marmite, déposer les cigares. Ajouter le jus de tomate et de l'eau à égalité des cigares. Cuire à feu doux environ 1 1/2 heure.

Pour 1 cigare au chou, enlever 3 onces (90 g) de viande et 1/2 équivalent de pain.

PÂTÉ DE VIANDE

(2 portions)

Ingrédients

5 onces (150 g) de boeuf cuit, de poulet, de dinde ou de jambon cuit
1 oeuf battu légèrement
Sel de légumes au goût
Poivre au goût
1/2 cuil. à thé (2 ml) de moutarde en poudre
2 tranches de pain sec émiettées
1/2 tasse (125 ml) de jus de tomate

Préparation

Mélanger les ingrédients dans un plat allant au four vaporisé d'enduit végétal. Cuire au four à 350°F (175°C) de 20 à 25 minutes environ.

Pour 1 portion, enlever 3 onces (90 g) de viande plus 1 équivalent de pain.

PAIN DE VIANDE AU GRUAU

(6 portions)

Ingrédients

1 livre (450 g) de boeuf haché maigre
1 tasse (250 ml) de gruau non cuit
1 tasse (250 ml) de céleri haché très fin
1 échalote hachée très fin
1/4 cuil. à thé (1 ml) de sel de légumes
1 tasse (250 ml) de jus de tomate (garder 1/4 tasse (60 ml)
   en réserve)
1 oeuf battu légèrement
3 tranches de bacon

Préparation

Dans un bol, mélanger les 7 premiers ingrédients. Dans
un plat allant au four vaporisé d'enduit végétal, déposer
les tranches de bacon, verser le mélange et arroser du
reste du jus de tomate. Cuire au four à 350°F (175°C) de
50 à 55 minutes.

Pour 1 portion, enlever 3 onces (90 g) de viande plus 1/3
d'équivalent de pain.

PAIN DE VIANDE AU POIREAU

(12 portions)

Ingrédients

3 livres (1,5 kg) de boeuf haché maigre
6 tranches de pain sec émiettées
1/2 tasse (125 ml) de poireau (ou échalotes) haché très fin
1/4 tasse (60 ml) de piment vert haché fin
1/4 tasse (60 ml) de persil haché fin
1 cuil. à thé (5 ml) de sel de légumes
1/2 cuil. à table (10 ml) de feuilles d'orégano hachées fin
1 gousse d'ail
4 blancs d'oeuf battus
1/2 tasse (125 ml) de ketchup rouge
1/3 tasse (75 ml) d'eau
2 cuil. à table (30 ml) de sauce Worcestershire

Préparation

Dans un bol, mélanger les ingrédients. Dans un plat allant au four vaporisé d'enduit végétal, verser le mélange et cuire au four à 350°F (175°C) de 55 à 60 minutes.

Pour 1 portion, enlever 3 onces (90 g) de viande plus 1/2 équivalent de pain.

PAIN DE VIANDE AUX BISCUITS SODA

(8 portions)

Ingrédients

1 3/4 livre (785 g) de boeuf haché maigre
1/2 tasse (125 ml) de jus de tomate dilué dans 1/2 tasse
    (125 ml) d'eau
1 oeuf battu légèrement
1 échalote hachée très fin
1/4 cuil. à thé (1 ml) de sel de légumes
2 cuil. à thé (10 ml) d'huile de tournesol
8 biscuits soda émiettés

Préparation

Dans un bol, mélanger le boeuf haché et la moitié du jus de tomate dilué. Ajouter le reste des ingrédients. Dans un plat allant au four vaporisé d'enduit végétal, verser le mélange et le reste du jus de tomate dilué. Cuire au four à 350°F (175°C) de 50 à 55 minutes.

Pour 1 portion, enlever 3 onces (90 g) de viande plus 1/2 équivalent de matière grasse plus 1/2 équivalent de pain.

PAIN DE VIANDE AU CÉLERI

(8 portions)

Ingrédients

2 livres (1 kg) de boeuf haché maigre
1 branche de céleri hachée très fin
1/2 piment vert haché fin
Oignons déshydratés au goût
Poivre au goût
3/4 tasse (200 ml) de jus de tomate
1 gousse d'ail hachée très fin
1/2 cuil. à thé (2 ml) d'épices mélangées moulues
1/2 cuil. à thé (2 ml) de clou de girofle

Préparation

Dans un bol, mélanger les ingrédients. Dans un plat allant au four vaporisé d'enduit végétal, verser le mélange et cuire au four à 350°F (175°C) de 50 à 55 minutes.

Pour 1 portion, enlever 3 onces (90 g) de viande.

PÂTÉ AU SAUMON

(2 portions)

Ingrédients

*1 boîte de saumon en flocons de 7 3/4 onces (225 g) rincé
à l'eau froide et égoutté
1 tasse (250 ml) de pommes de terre pilées
1 échalote hachée fin
1/8 cuil. à thé (1 pincée) de sel de légumes
1/8 cuil. à thé (1 pincée) de poivre
Paprika au goût*

Préparation

Dans un bol, mélanger le saumon, les pommes de terre pilées, l'échalote, le sel de légumes et le poivre. Verser ce mélange dans un plat allant au four vaporisé d'enduit végétal. Saupoudrer de paprika et cuire au four à 400°F (205°C) de 8 à 10 minutes.

Pour 1 portion, enlever 4 onces (120 g) de viande plus 1 équivalent de pain.

MOUSSE AU SAUMON

(2 portions)

Ingrédients

1 boîte de saumon de 7 1/2 onces (210 g), lavé et égoutté
2 onces (60 g) de fromage Damablanc à .5% de matière
  grasse
2 cuil. à thé (10 ml) de simili-bacon émietté
2 cuil. à thé (10 ml) de persil
Poivre au goût
Quelques gouttes de jus de citron

Préparation

Dans un mélangeur, verser les ingrédients et mélanger
quelques secondes. Si désiré, verser la mousse dans des
mini-croustardes Siljans ou sur des biscuits secs.

Pour 1 portion, enlever 4 onces (120 g) de viande.

BOULETTES AU FROMAGE PARMESAN

(8 portions)

Ingrédients

2 livres (1 kg) de boeuf haché maigre en boulettes
2 cuil. à table (30 ml) de fromage parmesan
2 cuil. à table (30 ml) de persil
5 feuilles de laurier
2 gouttes de tabasco
1 cuil. à table (15 ml) de sauce Worcestershire
1 cuil. à table (15 ml) de sauce HP
1/2 tasse (125 ml) de céleri haché fin
1 boîte de champignons de 10 onces (284 ml) avec le jus

Préparation

Déposer les boulettes dans un grand poêlon. Dans un bol, mélanger les autres ingrédients et verser le tout sur les boulettes. Cuire à feu doux de 40 à 50 minutes.

Pour 1 portion, enlever 3 onces (90 g) de viande.

POT AU FEU À LA SUÉDOISE

(4 portions)

Ingrédients

1 livre (450 g) de boeuf haché maigre
1 cuil. à thé (5 ml) de sel de légumes
1 cuil. à table (15 ml) d'oignons séchés
1/4 cuil. à thé (1 ml) de poivre
1/4 cuil. à thé (1 ml) de poudre d'ail
3/4 tasse (200 ml) de sauce tomate en boîte diluée dans
  3/4 tasse (200 ml) d'eau
1/3 tasse (75 ml) de ketchup rouge
1 tasse (250 ml) de carottes et petits pois en boite avec le jus

Préparation

Dans un bol, mélanger le boeuf haché, le sel de légumes, l'oignon, le poivre et la poudre d'ail. Faire de ce mélange 16 boulettes et les déposer dans un poêlon. Dans un bol, mélanger le reste des ingrédients et verser sur les boulettes. Laisser mijoter à feu doux pendant 20 à 25 minutes.

Pour 4 boulettes, enlever 3 onces (90 g) de viande plus 1/2 équivalent de légumes B.

CIGARES AU JAMBON ET FROMAGE

(6 portions)

Ingrédients

6 tranches de jambon cuit sans gras
12 onces (360 g) de fromage Philadelphia léger
2 échalotes hachées très fin
1 cuil. à thé (5 ml) de ciboulette
1/2 cuil. à thé (2 ml) de sel de légumes

Préparation

Dans un bol, à l'aide d'une cuillère de bois, bien mélanger le fromage, les échalotes, la ciboulette et le sel de légumes. Faire de ce mélange 6 cigares et enrouler chacun dans une tranche de jambon et servir.

Pour 1 cigare, enlever 3 onces (90 g) de viande.

ROULÉS AUX LÉGUMES

(4 portions)

Ingrédients

1 livre (450 g) de boeuf haché très maigre
1/2 cuil. à thé (2 ml) de sel de légumes
1/2 cuil. à thé (2 ml) de sel d'oignon
Poivre au goût
1 tasse (250 ml) de choucroute égouttée
1 tasse (250 ml) de carottes cuites coupées en rondelles
1 boîte de sauce tomate de 14 onces (398 ml)

Préparation

Dans un bol, mélanger le boeuf haché, le sel de légumes, le sel d'oignon et le poivre. Verser ce mélange sur un papier ciré, étendre et faire un carré. Verser la choucroute et les carottes. A l'aide du papier ciré, rouler la viande pour obtenir un rouleau. Dans un plat allant au four vaporisé d'enduit végétal, déposer ce rouleau. Arroser de sauce tomate et couvrir de papier d'aluminium. Cuire au four à 350°F (175°C) de 30 à 35 minutes en arrosant de temps en temps avec la sauce aux tomates.

Pour 1 portion, enlever 3 onces (90 g) de viande plus 1 équivalent de légumes B.

Rosbif aux légumes, page 141

Crêpes fourrées aux fraises, page 208

Carrés aux kiwis, page 211

Sucre à la crème aux pépites de caroube, page 214

ROSBIF AUX LÉGUMES

(20 portions)

Ingrédients

1 rosbif de 5 à 6 livres (2,5 à 3 kg)
1 échalote coupée en morceaux
2 tasses (500 ml) de carottes coupées en longueur
1 tasse (250 ml) de poireaux coupés en morceaux
10 petits choux de Bruxelles
1 branche de céleri coupée en morceaux
2 cuil. à table (30 ml) de moutarde moulue
2 cuil. à thé (10 ml) de margarine réduite en calories
1/4 cuil. à thé (1 ml) de poivre
2 tasses (500 ml) d'eau

Préparation

Dans une rôtissoire, déposer le rosbif et garnir de l'échalote. Faire une couronne à l'aide de carottes, de poireaux,
de choux de Bruxelles et de céleri. Dans un petit plat,
mélanger la moutarde, la margarine et le poivre. A l'aide
d'un pinceau, badigeonner le rosbif de ce mélange et
verser l'eau sur les légumes. Cuire au four à 475°F
(245°C) de 15 à 20 minutes par livre. (Le temps de la
cuisson variera selon qu'on désire obtenir une viande
saignante, médium ou bien cuite.)

Pour 1 portion, enlever 3 onces (90 g) de viande.

BOEUF ITALIEN

(4 portions)

Ingrédients

1 livre (450 g) de boeuf haché très maigre façonné en boulettes
1 cuil. à thé (5 ml) de sauce Worcestershire
1 échalote hachée très fin
1/2 tasse (125 ml) de ketchup rouge
2 branches de céleri hachées très fin
1/2 piment vert haché fin
1 boîte de tomates de 19 onces (540 ml)
Sel de légumes au goût
Poivre au goût

Préparation

Dans une poêle profonde, déposer les boulettes. Dans un plat, mélanger les autres ingrédients et verser ce mélange sur les boulettes. Laisser mijoter de 30 à 40 minutes à feu moyen en remuant de temps en autre.

Pour 1 portion, enlever 3 onces (90 g) de viande.

BOEUF HACHÉ À L'OIGNON

(4 portions)

Ingrédients

1 livre (450 g) de boeuf haché très maigre
4 cuil. à table (60 ml) de mélange de soupe à l'oignon non diluée
6 cuil. à table (90 ml) de sauce Chili (en garder 2 cuil. à table (30 ml) en réserve)
Poivre au goût
1/2 cuil. à thé (2 ml) d'épices à bifteck

Préparation

Dans un bol, mélanger le boeuf haché, le mélange de soupe à l'oignon, 4 cuil. à table (60 ml) de sauce Chili, le poivre et les épices à bifteck. Bien mélanger. Faire de ce mélange 4 boulettes et à l'aide d'un petit pinceau les badigeonner de sauce Chili. Dans une poêle T-Fal vaporisée d'enduit végétal, cuire les boulettes à feu moyen jusqu'à ce qu'elles soient bien cuites.

Pour 1 boulette, enlever 3 onces (90 g) de viande.

CUBES DE BOEUF AUX TOMATES

(8 portions)

Ingrédients

2 livres (1 kg) de boeuf en petits cubes (très maigre)
1 boîte de tomates de 28 onces (796 ml)
2 cuil. à table (30 ml) de concentré de boeuf
Poivre au goût
1/4 cuil. à thé (1 ml) de sel de céleri
1/2 cuil. à thé (2 ml) d'épices à bifteck
1/2 tasse (125 ml) de feuilles de céleri hachées fin
1/4 tasse (60 ml) d'oignons

Préparation

Passer les tomates au mélangeur pendant quelques secondes. Dans une marmite moyenne, verser tous les ingrédients. Cuire à feu doux de 2 heures à 2 1/4 heures en remuant de temps en temps.

Pour 1 portion, enlever 3 onces (90 g) de viande.

BOEUF BOURGUIGNON

(8 portions)

Ingrédients

2 livres (1 kg) de boeuf maigre en cubes
2 cuil. à thé (10 ml) d'huile de tournesol
1 tasse (250 ml) de consommé de boeuf
6 onces (200 ml) de jus de tomate
1 échalote hachée fin
1 gousse d'ail
1 boîte de champignons de 10 onces (284 ml)
1/4 cuil. à thé (1 ml) de thym
1 feuille de laurier

Préparation

Dans une marmite moyenne, verser les ingrédients.
Cuire à feu doux pendant 2 heures en brassant de temps
en temps.

Pour 1 portion, enlever 3 onces (90 g) de viande.

SAUCE À SPAGHETTI

(4 portions)

Ingrédients

2 cuil. à thé (10 ml) d'huile de tournesol
1 échalote hachée fin
1 branche de céleri hachée fin
1 piment vert haché fin
1 livre (450 g) de boeuf haché maigre
1 boîte de sauce tomate de 7 1/2 onces (210 ml)
1 boîte de tomates de 19 onces (540 ml)
1 gousse d'ail hachée fin
1/4 cuil. à thé (1 ml) de basilic
1/4 cuil. à thé (1 ml) d'orégano
1/4 cuil. à thé (1 ml) de sel de légumes
1/4 cuil. à thé (1 ml) de poivre

Préparation

Dans une grande marmite, verser l'huile et y faire revenir à feu doux l'échalote, le céleri, le piment et le boeuf haché. Dans un plat, mélanger les autres ingrédients et verser ce mélange dans la marmite. Bien mélanger. Cuire à feu doux de 35 à 40 minutes en brassant de temps en temps.

Pour 1 portion, enlever 3 onces (90 g) de viande plus 1 équivalent de légumes B plus 1/4 d'équivalent de matière grasse.

CHOP SUEY AU BOEUF HACHÉ

(4 portions)

Ingrédients

1 boîte de fèves germées (chop suey) égouttées
Eau
2 cuil. à table (30 ml) de ketchup
1 livre (450 g) de boeuf haché très maigre
1 tasse (250 ml) de carottes en rondelles semi-cuites
*1/2 tasse (125 ml) de chou de Siam semi-cuit coupé en
    morceaux*
2 branches de céleri semi-cuites coupées en morceaux
3/4 tasse (200 ml) d'oignon coupé en rondelles
Sel de légumes au goût
Poivre au goût
*2 cuil. à table (30 ml) de fécule de maïs diluée dans 1/4
    tasse (60 ml) d'eau froide*

Préparation

Façonner le boeuf haché en boulettes. Dans une grande
poêle T-Fal, sur un feu doux, verser les fèves germées et
de l'eau à égalité, ajouter le ketchup, les boulettes, les
carottes, le chou de Siam, le céleri, les rondelles d'oignons, le sel de légumes et le poivre. Laisser mijoter 20
minutes environ en brassant de temps en temps. Épaissir
avec la fécule de maïs diluée. Laisser mijoter de nouveau
quelques minutes et servir.

Pour 1 portion, enlever 3 onces (90 g) de viande plus 1
équivalent de légumes B.

BOULETTES AU PIMENT

(4 portions)

Ingrédients

1 livre (450 g) de boeuf haché maigre
1/2 cuil. à thé (2 ml) de sel de légumes
Poivre au goût
1/8 cuil. à thé (1 pincée) d'ail en poudre
1/2 tasse (125 ml) de piment vert haché fin
1/2 tasse (125 ml) de piment rouge haché fin
3/4 tasse (200 ml) d'oignons hachés fin
1 tasse (250 ml) de bouillon de boeuf

Préparation

Dans un bol, mélanger les ingrédients sauf le bouillon de boeuf. Façonner le boeuf haché en boulettes (16). Dans un plat allant au four vaporisé d'enduit végétal, déposer les 16 boulettes et les arroser du bouillon de boeuf. Couvrir et cuire au four à 400°F (205°C) de 40 à 45 minutes.

Pour 4 boulettes, enlever 3 onces (90 g) de viande plus 1/4 d'équivalent de légumes B.

BOULETTES DE VIANDE AU RIZ

(8 portions)

Ingrédients

2 livres (1 kg) de boeuf haché maigre
1 tasse (250 ml) de riz minute
1 tasse (250 ml) de poireau haché très fin
1/4 cuil. à thé (1 ml) de sel de légumes
Poivre au goût
1 boîte de sauce tomate de 14 onces (398 ml)

Préparation

Dans un bol, mélanger le boeuf haché, le riz, le poireau, le sel de légumes et le poivre. Bien mélanger et faire de ce mélange des boulettes. Dans un grand poêlon, déposer les boulettes. Arroser de sauce tomate et cuire à feu doux de 30 à 35 minutes en brassant doucement de temps à autre.

Pour 1 portion, enlever 3 onces (90 g) de viande plus 1/4 d'équivalent de pain.

BOEUF HACHÉ AU POÊLON

(4 portions)

Ingrédients

2 cuil. à thé (10 ml) d'huile de tournesol
1 échalote hachée fin
1 piment vert haché très fin
1/2 tasse (125 ml) de céleri haché très fin
1 livre (450 g) de boeuf haché maigre
1/4 cuil. à thé (1 ml) de sel de légumes
1/4 cuil. à thé (1 ml) de poivre
1/4 cuil. à thé (1 ml) de sauce Worcestershire
1 1/2 tasse (375 ml) de jus de tomate
1 tasse (250 ml) de riz semi-cuit ou de macaroni semi-cuit
1/2 tasse (125 ml) de champignons en morceaux

Préparation

Dans un grand poêlon, verser l'huile et y faire dorer l'échalote, le piment, le céleri et le boeuf haché en grains. Laisser brunir quelques secondes et ajouter le reste des ingrédients. Laisser mijoter à feu doux en brassant doucement de temps en temps. Cuire de 25 à 30 minutes.

Pour 1 portion, enlever 1/2 équivalent de matière grasse, plus 3 onces (90 g) de viande plus 1/2 équivalent de pain.

BOEUF HACHÉ DE LUXE

(1 portion)

Ingrédients

4 onces (120 g) de boeuf haché maigre
1/2 tasse (125 ml) de céleri haché très fin
1/2 tasse (125 ml) de piment haché très fin
1 échalote hachée très fin
Poivre au goût
Épices à bifteck au goût
1/4 tasse (60 ml) de sauce Chili diluée dans 1/4 tasse
*   (60 ml) d'eau*

Préparation

Dans une poêle vaporisée d'enduit végétal, sur un feu très fort, faire brunir la boulette de boeuf haché des deux côtés. Verser le reste des ingrédients. Laisser mijoter à feu doux quelques minutes.

Pour cette portion, enlever 3 onces (90 g) de viande.

BOULETTES ET SAUCE À SPAGHETTI

(8 portions)

Ingrédients

2 livres de boeuf haché maigre
1/4 tasse (60 ml) d'oignons hachés fin
2 cuil. à table de simili-bacon émietté
4 gousses d'ail hachées fin
1/4 cuil. à thé (1 ml) de sel de légumes
1 oeuf battu légèrement

Préparation

Dans un bol, mélanger les ingrédients et façonner 16 boulettes. Les déposer dans un plat allant au four vaporisé d'enduit végétal.

SAUCE

Ingrédients

1 boîte de tomates de 28 onces (796 ml) écrasées
1 boîte de jus de tomates de 10 onces (284 ml)

Préparation

Dans un bol, mélanger les tomates et le jus de tomates. Verser sur les boulettes et cuire au four à 300°F (150°C) de 30 à 35 minutes.

Pour 1 portion de 2 boulettes, enlever 3 onces (90 g) de viande plus 1 équivalent de légumes B.

RÔTI DE BOEUF MARINÉ

(8 portions)

Ingrédients

1 rôti de boeuf maigre de 2 1/2 livres (1,25 kg) environ
1/2 cuil. à thé (2 ml) de sel de légumes
1/4 cuil. à thé (1 ml) de poivre
1/2 tasse (125 ml) d'eau
1/2 tasse (125 ml) de vinaigre
4 clous de girofle
1 grosse échalote coupée en gros morceaux

Préparation

Dans un plat avec couvercle, déposer le morceau de boeuf. Dans un petit bol, mélanger les autres ingrédients et verser sur le boeuf. Couvrir et faire mariner au réfrigérateur pendant 3 heures. Égoutter le rôti de boeuf et conserver le jus. Dans un plat allant au four vaporisé d'enduit végétal, déposer le boeuf et arroser de jus. Cuire au four à 350°F (175°C) 2 1/2 heures à 3 heures (ou plus si désiré).

Pour 1 portion, enlever 3 onces (90 g) de viande.

TRUITE FARCIE À LA GALETTE DE RIZ

(1 portion)

Ingrédients

1 truite de 6 à 7 pouces (15 à 18 cm)
1 tomate coupée en morceaux
1 galette de riz émiettée
1 cuil. à thé (5 ml) de margarine fondue réduite en calories
2 cuil. à table (30 ml) de jus de citron
1/4 tasse (60 ml) de feuilles de céleri hachées fin
1/4 tasse (60 ml) d'eau
1/4 cuil. à thé (1 ml) de sel de légumes
1/4 cuil. à thé (1 ml) de poivre
Paprika au goût
1 échalote hachée fin

Préparation

Sur un papier d'aluminium, déposer la truite. Dans un bol, mélanger les autres ingrédients. Farcir la truite de ce mélange. Fermer hermétiquement le papier d'aluminium et cuire au four à 400°F (205°C) de 10 à 15 minutes.

Pour cette portion, enlever 3 onces (90 g) de viande plus 1/2 équivalent de pain plus 1/2 équivalent de matière grasse.

DÎNER AU POÊLON

(4 portions)

Ingrédients

1 livre (450 g) de boeuf haché maigre
1/2 tasse (125 ml) de gruau non cuit
1 oeuf battu
1 échalote hachée fin
2 cuil. à table de sauce Worcestershire
1 cuil. à thé (5 ml) de moutarde sèche
1 tasse (250 ml) de haricots jaunes ou verts cuits
1/2 tasse (125 ml) de carottes cuites
1 boîte de sauce tomate de 14 onces (398 ml)

Préparation

Dans un bol, mélanger le boeuf haché, le gruau, l'oeuf, l'échalote, la sauce Worcestershire et la moutarde. Façonner 16 boulettes et les déposer dans un poêlon avec les haricots, les carottes et la sauce tomate. Cuire à feu doux de 25 à 30 minutes environ en brassant doucement de temps en temps.

Pour 1 portion, enlever 3 onces (90 g) de viande plus 1/4 d'équivalent de pain et 1 équivalent de légumes B.

FILETS DE SOLE À LA SAUCE SOYA

(8 portions)

Ingrédients

2 livres de filets de sole (ou autre poisson au choix)
1 cuil. à table (15 ml) de sauce soya
1/2 tasse (125 ml) de bouillon de boeuf
2 échalotes hachées fin
1/2 tasse (125 ml) de céleri haché très fin
1/2 tasse (125 ml) de champignons
1/4 cuil. à thé (1 ml) de sel de légumes
1/4 cuil. à thé (1 ml) de poivre
1/4 cuil. à thé (1 ml) de persil

Préparation

Dans un plat allant au four vaporisé d'enduit végétal, placer les filets de sole au centre. Dans un petit bol, mélanger les autres ingrédients et verser sur le poisson. Cuire au four à 400°F (205°C) de 15 à 18 minutes.

Pour 1 portion, enlever 3 onces (90 g) de viande.

FILETS DE SOLE À LA SAUCE CHILI

(4 portions)

Ingrédients

1 livre (450 g) de filets de sole (ou autre poisson au choix)
1/4 tasse (60 ml) de sauce Chili
1 cuil. à thé (5 ml) de ciboulette
Sel de légumes au goût
Rondelles de piment rouge ou vert selon le goût

Préparation

Dans une poêle T-Fal vaporisée d'enduit végétal à saveur de beurre, faire dorer les filets à feu doux. Arroser de la sauce Chili. Ajouter les autres ingrédients et laisser mijoter quelques minutes. Servir.

Pour 1 portion, enlever 3 onces (90 g) de viande.

FILETS DE SOLE AUX CAROTTES RÂPÉES

(4 portions)

Ingrédients

2 cuil. à thé (10 ml) d'huile de tournesol
1 livre (450 g) de filets de sole coupés en 4 morceaux
4 cuil. à table (60 ml) de vinaigrette Original Ranch
(réduite en calories)
1 échalote hachée fin
1 1/2 tasse (375 ml) de carottes râpées
1 cuil. à table (15 ml) de persil
Sel de légumes au goût
2 cuil. à thé (10 ml) de jus de citron

Préparation

Cuire les carottes râpées à l'eau bouillante pendant 5 minutes et égoutter. Dans une poêle T-Fal, verser l'huile et y faire dorer à feu moyen les filets sur les deux côtés. Déposer ensuite sur un papier d'aluminium et napper de la vinaigrette. Ajouter l'échalote, les carottes râpées, le persil, le sel de légumes et le jus de citron. Sceller le papier d'aluminium et cuire au four à 350°F (175°C) de 12 à 14 minutes.

Pour 1 portion, enlever 3 onces (90 g) de viande plus 1/2 équivalent de matière grasse plus 1/2 équivalent de légumes B.

158

FILETS DE SOLE MARINÉ

(4 portions)

Ingrédients

1 livre (450 g) de filets de sole (ou autre poisson au choix)
1/2 cuil. à thé (2 ml) de sel de légumes
1/4 cuil. à thé (1 ml) de poivre
1 échalote hachée fin
1/4 cuil. à thé (1 ml) de persil
4 cuil. à table (60 ml) de jus de citron
1 cuil. à table (15 ml) de sauce Chili

Préparation

Dans un plat allant au four, placer les filets de sole au centre. Dans un bol, mélanger les autres ingrédients. Verser la marinade sur le poisson et ranger au réfrigérateur. Laisser mariner 1 heure et cuire dans la marinade au four à 400°F (205°C) de 10 à 15 minutes.

Pour 1 portion, enlever 3 onces (90 g) de viande.

FILETS DE SOLE À L'ORANGE

(8 portions)

Ingrédients

2 livres (1 kg) de filets de sole coupés en 8 morceaux (ou autre poisson au choix)
1/2 tasse (125 ml) de jus d'orange sans sucre
1/4 cuil. à thé (1 ml) de sel de légumes
1/4 cuil. à thé (1 ml) de poivre
2 cuil. à table (30 ml) de zeste de citron râpé
1 cuil. à thé (5 ml) de paprika
4 biscuits soda émiettés
1/2 tasse (125 ml) de lait 2%

Préparation

Dans un plat, mélanger le jus d'orange, le sel de légumes, le poivre, le zeste de citron et le paprika. Laisser tremper les filets dans ce mélange pendant 10 minutes. Garder en réserve. Dans un petit bol, mélanger les biscuits soda et le lait. Passer les filets dans cette chapelure et les déposer dans un plat allant au four. Arroser de jus d'orange et cuire au four à 400°F (205°C) de 15 à 20 minutes (ou plus si désiré).

Pour 1 portion, enlever 3 onces (90 g) de viande.

FILETS D'AIGLEFIN AU FOUR

(4 portions)

Ingrédients

1 livre (450 g) de filets d'aiglefin (ou autre poisson au choix)
1/4 cuil. à thé (1 ml) de sel de légumes
1/4 cuil. à thé (1 ml) de poivre
1/4 cuil. à thé (1 ml) d'estragon
1/4 cuil. à thé (1 ml) de clou de girofle moulu
1 feuille de laurier
1/2 tasse (125 ml) de lait 2%
1 cuil. à thé (5 ml) de margarine réduite en calories fondue

Préparation

Dans un plat allant au four vaporisé d'enduit végétal, placer les filets. Dans un bol, mélanger les autres ingrédients et verser sur les filets. Cuire au four à 400°F (205°C) de 15 à 20 minutes (ou plus si désiré).

Pour 1 portion, enlever 3 onces (90 g) de viande plus 1 once (30 ml) de lait et 1/4 d'équivalent de matière grasse.

FILETS DE SOLE AUX OLIVES

(4 portions)

Ingrédients

1 livre (450 g) de filets de sole (ou autre poisson au choix)
15 olives vertes coupées en quatre
5 olives vertes entières
1 boîte de tomate étuvées de 19 onces (540 ml)
1 cuil. à table (15 ml) de ciboulette
1/2 cuil. à thé de sel de légumes
1/2 cuil. à thé (2 ml) de sel d'oignon
Poivre au goût
Quelques gouttes de jus de citron
Paprika au goût

Préparation

Couper les filets en 4 morceaux, y disposer les olives et rouler les filets. Dans un plat allant au four, déposer les filets en rouleaux. Ajouter les tomates étuvées, la ciboulette, le sel d'oignon, le sel de légumes, le poivre et le jus de citron. Saupoudrer chaque rouleau de paprika. Décorer des 5 olives et cuire au four à 350°F (175°C) de 20 à 25 minutes.

Pour 1 portion, enlever 3 onces (90 g) de viande plus 1/2 équivalent de matière grasse.

FILETS DE SOLE AU JUS DE TOMATE

(4 portions)

Ingrédients

1 livre (450 g) de filets de sole (ou autre poisson au choix)
1 cuil. à thé (5 ml) d'huile de tournesol
10 onces (284 ml) de jus de tomate
1/4 tasse (50 ml) de ketchup rouge
1 cuil. à table (15 ml) de persil
1 cuil. à table (15 ml) de jus de citron
1 échalote hachée fin
2 gousses d'ail hachées très fin
1/4 cuil. à thé (1 ml) de sel de légumes
1/4 cuil. à thé (1 ml) de poivre

Préparation

Dans une poêle T-Fal, verser l'huile et y faire dorer les filets à feu doux. Dans un plat allant au four vaporisé d'enduit végétal, déposer les filets et arroser des autres ingrédients. Cuire au four à 400°F (205°C) de 10 à 15 minutes.

Pour 1 portion, enlever 3 onces (90 g) de viande plus 1/4 d'équivalent de matière grasse.

ROULÉS DE SOLE

(4 portions)

Ingrédients

1 livre (450 g) de filets de sole (ou autre poissons au choix)
Jus de citron au choix
Ciboulette au goût
Persil au goût
Sarriette au goût
Sel de légumes au goût
1 cuil. à table (15 ml) de concentré de poulet dilué dans
*   1/3 tasse (75 ml) d'eau*
Paprika au goût

Préparation

Étendre les filets dans un plat allant au four. Les arroser de jus de citron et les saupoudrer de ciboulette, de sarriette, de persil, de sel de légumes. Enrouler les filets et les attacher avec des cure-dents. Arroser du bouillon de poulet, saupoudrer de paprika. Cuire au four à 375°F (190°C) de 15 à 18 minutes.

SAUCE HOLLANDAISE

Dans une petite marmite, verser une enveloppe de sauce hollandaise diluée dans 3/4 tasse (200 ml) d'eau froide et le jus du poisson. Sur un feu doux, à l'aide d'un fouet, brasser continuellement jusqu'à ce que la sauce épaississe. Verser ce mélange sur le poisson, saupoudrer de paprika et servir.

Pour 1 portion, enlever 3 onces (90 g) de viande plus 1 équivalent de matière grasse.

FILETS DE SOLE AU FROMAGE

(4 portions)

Ingrédients

2 cuil. à thé (10 ml) d'huile de tournesol
3/4 livre (350 g) de filets de sole (ou autre poisson au
*   choix)*
3 tranches d'une once (30 g) de fromage jaune léger
Sel de légumes au goût
Persil au goût

Préparation

Dans une poêle T-Fal, verser l'huile et y faire cuire les
filets jusqu'à ce qu'ils soient bien dorés. Déposer les
tranches de fromage sur les filets, saupoudrer de sel de
légumes et de persil. Servir.

Pour 1 portion, enlever 3 onces (90 g) de viande plus 1/2
équivalent de matière grasse.

FILETS DE SOLE DE LA LOUISIANE

Ingrédients
(5 portions)

1 livre (450 g) de filets de sole (ou autre poisson au choix)
1 cuil. à table (15 ml) de paprika
1 cuil. à thé (5 ml) de sel d'oignon
1/4 cuil. à thé (1 ml) de poudre d'ail
1/4 cuil. à thé (1 ml) de Cayenne
1/4 cuil. à thé (1 ml) de poivre noir
1/4 cuil. à thé (1 ml) de poivre blanc
1/2 cuil. à thé (2 ml) de thym
1/2 cuil. à thé (2 ml) d'orégano

Préparation

Dans un petit plat, mélanger toutes les épices et saupoudrer sur le poisson. Couvrir et laisser mariner pendant 2 heures au réfrigérateur. Dans un plat allant au four, déposer le poisson mariné et laisser en attente.

SAUCE À LA MOUTARDE

1 cuil. à thé (5 ml) de vinaigre dans 1 tasse (250 ml) de lait 2%
1 cuil. à table (15 ml) de substitut de sucre brun
1 cuil. à table (15 ml) de moutarde de Dijon
2 cuil. à thé (30 ml) de graines de moutarde

Préparation

Dans un petit plat, mélanger tous les ingrédients et verser cette sauce sur le poisson. Cuire au four à 375°F (190°C) de 15 à 18 minutes.

Pour 1 portion, enlever 3 onces (90 g) de viande plus 2 onces (60 ml) de lait.

DÉLICIEUSE QUICHE À LA TRUITE

(2 portions)

Ingrédients

3 blancs d'oeufs
6 onces (180 g) de truite cuite défaite en petits morceaux ou
*   1 boîte de saumon en flocons de 7 3/4 onces (225 g),*
*   rincé à l'eau et égoutté*
1 tasse (250 ml) de lait 2%
1/4 cuil. à thé (1 ml) de poudre à pâte
1/4 cuil. à thé (1 ml) de sel de légumes
1/4 cuil. à thé (1 ml) de poivre
1 échalote hachée très fin
1/2 tasse (125 ml) de brocoli (ou de chou-fleur) cru, coupé
*   en petits morceaux*
1/2 tasse (125 ml) de fromage blanc râpé
8 biscuits soda
Paprika au goût

Préparation

Dans un bol profond, battre les blancs d'oeufs en neige souple pendant quelques secondes. Ajouter la truite ou le saumon, le lait, la poudre à pâte, le sel de légumes, le poivre, l'échalote, le brocoli (ou le chou-fleur) et le fromage râpé. Bien mélanger. Dans un plat carré de 6 pouces par 6 1/2 pouces (15 x 16 cm) vaporisé d'enduit végétal, déposer les biscuits soda et y verser le mélange. Saupoudrer de paprika. Cuire au four à 375°F (190°C) de 30 à 33 minutes.

Pour 1 portion, enlever 3 1/2 onces (105 g) de viande plus 1 équivalent de pain plus 4 onces (125 ml) de lait.

BROCHETTE DE BOEUF
SUR LIT DE RIZ

(1 portion)

Ingrédients

2 onces (60 g) de steak cuit saignant et coupé en cubes
4 petites tomates rondes
1 saucisse à hot dog au tofu coupée en quatre
3 tranches de bacon semi-cuit
1/2 piment vert coupé en carrés
1/2 tasse (125 ml) de champignons entiers
1/2 tasse (125 ml) de riz cuit
1/2 tasse (125 ml) de bouillon de poulet mélangé avec
*   1/2 cuil. à thé (2 ml) de ciboulette*

Préparation

Sur une broche de 12 pouces (30 cm) environ, glisser un morceau de steak, un morceau de tomate, un morceau de saucisse enroulé d'une tranche de bacon, un morceau de piment et un morceau de champignon, etc. Placer la brochette sur une tôle vaporisée d'enduit végétal et cuire au four de 5 à 7 minutes à 500°F (260°C). Mélanger le riz et le bouillon de poulet. Verser dans une assiette et y déposer la brochette. Servir.

Pour cette portion, enlever 3 onces (90 g) de viande plus 1 équivalent de pain.

168

CROQUETTES DE SAUMON

(1 portion)

Ingrédients

4 biscuits soda émiettés
4 onces (120 g) de saumon en flocons rincé à l'eau froide
1 cuil. à table (15 ml) d'oignons déshydratés
1/4 tasse (60 ml) de feuilles de céleri hachées fin
1 cuil. à thé (5 ml) de persil
1 cuil. à table (15 ml) de moutarde préparée

Préparation

Dans un bol, mélanger les ingrédients et façonner des boulettes. Dans une poêle T-Fal vaporisée d'enduit végétal, cuire les boulettes à feu moyen jusqu'à ce qu'elles soient bien dorées.

Pour cette portion, enlever 1 équivalent de pain plus 4 onces (120 g) de viande.

TOFU À LA SAUCE À PIZZA

(1 portion)

Ingrédients

1/2 tasse (120 g) de tofu aux fines herbes
3/4 tasse (200 ml) de sauce à pizza
1 échalote hachée fin
1 pain pita de 4 pouces (10 cm) dédoublé

Préparation

Dans un mélangeur, verser le tofu, la sauce à pizza et l'échalote. Mélanger quelques secondes et verser sur le pain pita. Chauffer au four à 400°F (205°C) pendant quelques minutes et servir.

Pour cette portion, enlever 1 once (30 g) de viande plus 1 équivalent de légumes B plus 1 équivalent de pain.

OEUFS FARCIS AU THON

(2 portions)

Ingrédients

3 oeufs cuits dur
4 onces (120 g) de thon émietté rincé à l'eau froide
1 cuil. à table (15 ml) de piment vert haché
1/2 cuil. à thé (2 ml) de moutarde sèche
1/4 tasse (60 ml) de bouquets de brocoli hachés très fin
6 cuil. à table (90 ml) de mayonnaise réduite en calories
Poivre au goût
Sel de légumes au goût

Préparation

Couper les oeufs en deux dans le sens de la longueur. Retirer les jaunes d'oeufs et les hacher finement. Mélanger ensuite les jaunes d'oeufs avec les autres ingrédients. Remplir les blancs d'oeufs de cette préparation. Décorer avec un petit carré de piment vert ou de piment rouge.

Pour 1 portion, enlever 1 équivalent de matière grasse plus 3 1/2 onces (105 g) de viande.

OMELETTE LÉGÈRE AUX TOMATES

(1 portion)

Ingrédients

2 blancs d'oeufs battus
2 cuil. à table (30 ml) de jus de tomates
1/4 cuil. à thé (1 ml) de sel de légumes
1/4 cuil. à thé (1 ml) de poivre
1/2 tomate hachée fin
Simili-bacon émietté (au goût)

Préparation

Dans un bol, mélanger les ingrédients. Verser ensuite dans une poêle T-Fal et garnir de simili-bacon émietté. Couvrir et cuire à feu doux de 10 à 15 minutes.

Cette recette est un bonus.

OMELETTE SOUFFLÉE AU JUS DE TOMATES

(1 portion)

Ingrédients

2 oeufs (blancs et jaunes séparés)
2 cuil. à table (30 ml) de jus de tomate
1/4 cuil. à thé (1 ml) de ciboulette
Le blanc d'une échalote haché fin
1 pincée de crème de tartre

Préparation

Dans un bol profond, battre les blancs d'oeufs quelques secondes à l'aide d'une mixette. Ajouter les jaunes d'oeufs, le jus de tomate, la ciboulette, l'échalote et la crème de tartre. Dans une poêle avec couvercle vaporisée d'enduit végétal, verser le mélange et cuire à feu doux, couvert, de 10 à 15 minutes.

Pour cette portion, enlever 2 onces (60 g) de viande.

OMELETTE AUX ÉPINARDS

(4 portions)

Ingrédients

1 livre (450 g) d'épinards hachés très fin

4 oeufs battus légèrement dilués dans 2 cuil. à table (30 ml) de lait 2%

1 échalote hachée très fin

1/2 cuil. à thé (2 ml) de ciboulette

1/4 cuil. à thé (1 ml) de sel de légumes

1/4 cuil. à thé (1 ml) de poivre

1/4 cuil. à thé (1 ml) de poudre à pâte

4 onces (120 g) de fromage blanc râpé

2 cuil. à table (30 ml) de simili-bacon émietté (si désiré)

Préparation

Cuire les épinards à feu moyen de 6 à 7 minutes et les égoutter. Dans un plat allant au four vaporisé d'enduit végétal, verser les épinards. Dans un petit bol, mélanger les oeufs et le lait, l'échalote, la ciboulette, le sel de légumes, le poivre et la poudre à pâte. Verser sur les épinards et cuire au four à 350°F (175°C) de 20 à 22 minutes. Garnir de fromage râpé et du simili-bacon émietté. Placer de nouveau au four à 500°F (260°C) quelques secondes ou jusqu'à ce que le fromage soit bien doré.

Pour 1 portion, enlever 2 onces (60 g) de viande.

174

OMELETTE AUX LÉGUMES

(1 portion)

Ingrédients

2 oeufs battus légèrement
1/2 tasse (125 ml) de carottes et de chou de Siam cuits et
coupés en petits morceaux
1/2 cuil. à thé (2 ml) d'épices à salade
1/4 cuil. à thé (1 ml) de sel de légumes
Poivre au goût
1 cuil. à table (15 ml) de lait 2%
1 cuil. à table (15 ml) d'eau

Préparation

Dans un bol, mélanger tous les ingrédients. Dans une petite poêle T-Fal, verser le mélange et couvrir. Cuire à feu doux jusqu'à ce que l'omelette soit bien dorée.

Pour cette portion, enlever 2 onces (60 g) de viande plus 1 équivalent de légumes B.

OMELETTE AU THON

(2 portions)

Ingrédients

3 oeufs battus légèrement
1 boîte de thon émietté de 3,75 onces (105 g) rincé, égoutté
2 onces (60 ml) de lait 2%
1 cuil. à table (15 ml) de persil
1 cuil. à table (15 ml) de ciboulette
1/4 cuil. à thé (1 ml) de sel de légumes
1/4 cuil. à thé (1 ml) de poivre

Préparation

Dans un plat, mélanger tous les ingrédients. Dans une poêle T-Fal avec couvercle, verser le mélange et couvrir. Cuire à feu doux de 10 à 15 minutes.

Pour 1 portion, enlever 3 onces (90 g) de viande plus 1 once (30 ml) de lait.

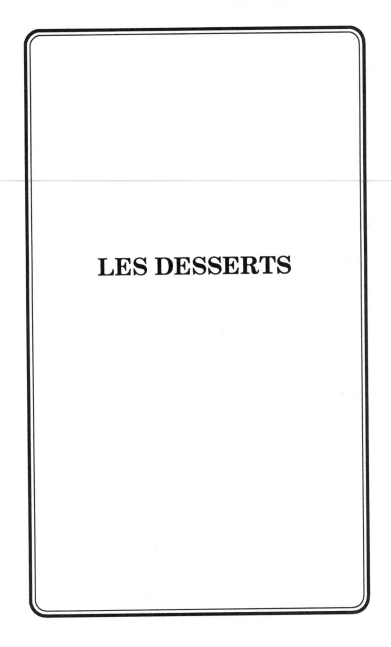

LES DESSERTS

SORBET À LA FIESTA DE FRUITS

(3 portions)

Ingrédients

3 onces (90 ml) de yogourt léger aux fraises
1 tasse (250 ml) de gélatine légère à la saveur de fiesta de fruits (prête à servir)
1 tasse (250 ml) de fraises
1 pêche pelée, dénoyautée et coupée en 4 morceaux
1 sachet de substitut de sucre brun (facultatif)
3 cuil. à table (45 ml) de germe de blé

Préparation

Dans un mélangeur, verser le yogourt, la gélatine, les fraises, les morceaux de pêche et le substitut de sucre si désiré. Bien mélanger. Verser dans 3 coupes. Garnir de germe de blé et servir.

Pour 1 portion, enlever 1 équivalent de fruit.

MOUSSE AUX PÉPITES DE CAROUBE

(2 portions)

Ingrédients

4 blancs d'oeufs battus en neige très ferme
2 onces (60 g) de pépites de caroube non sucrées, fondues
et refroidies
1 cuil. à table (15 ml) de substitut de sucre brun
1/2 cuil. à thé (2 ml) d'essence d'érable

Préparation

Dans un bol profond, battre à l'aide d'une mixette les blancs d'oeufs et ajouter les autres ingrédients graduellement. Verser dans des coupes à dessert ou sur un gâteau éponge ou un gâteau des anges.

Cette recette est un bonus.

LE DÉLICE D'ANANAS

(2 portions)

Ingrédients

1 ananas coupé en deux dans le sens de la hauteur
1 tasse (250 ml) de fraises
1 soupçon de cannelle
1 sachet de substitut de sucre (facultatif)
Cubes de glace au goût
Cerises rouges ou vertes rincées à l'eau froide

Préparation

Retirer la pulpe des morceaux d'ananas (l'intérieur) et la passer au mélangeur. Ajouter les fraises, la cannelle et le substitut de sucre s'il y a lieu. Mélanger quelques secondes. Verser le tout dans les 2 morceaux d'ananas. Déposer quelques cubes de glace et décorer de cerises rouges ou vertes. Servir.

Pour 1/2 tasse (125 ml), enlever 1 équivalent de fruit.

180

NUAGE AU CAROUBE

(2 portions)

Ingrédients

2 blancs d'oeufs battus en neige très ferme
1/4 cuil. à thé (1 ml) de crème de tartre
1 cuil. à table (15 ml) de caroube
1 cuil. à thé (5 ml) de substitut de sucre brun

Préparation

Dans un bol profond, battre à l'aide d'une mixette les blancs d'oeufs et le reste des ingrédients. Verser dans 2 coupes et servir.

Cette recette est un bonus.

CRÈME GLACÉE AUX FRUITS

(4 portions)

Ingrédients

1 banane pelée (couper en tranches minces, déposer dans un sac hermétiquement fermé et faire congeler pendant 1 1/2 heure)
1/2 tasse (125 ml) de framboises
1 poire mûre pelée et écrasée
1/2 sachet de garniture à dessert hypocalorique non diluée

Préparation

Dans un mélangeur, réduire les ingrédients en purée, verser dans des coupes et servir.

Pour 1 portion, enlever 1 équivalent de fruit.

CRÈME AUX FRUITS

(2 portions)

Ingrédients

1 banane pelée (couper en tranches minces, déposer dans un sac fermé hermétiquement et faire congeler 1 1/2 heure)

1/2 enveloppe de Jell-O léger aux fruits (le faire en suivant le mode d'emploi sur l'enveloppe et le faire congeler 1 1/2 heure)

Préparation

Dans un mélangeur, réduire les ingrédients en purée et verser dans des coupes. Servir.

Pour 1 portion, enlever 1 équivalent de fruit.

MOUSSE DE FRAISES AUX CHAMPIGNONS

(2 portions)

Ingrédients

1 tasse (250 ml) de fraises
1 tasse (250 ml) de champignons
3 onces (90 ml) de yogourt aux fraises léger
1 sachet de substitut de sucre (facultatif)

Préparation

Passer tous les ingrédients au mélangeur quelques secondes, verser dans des coupes et servir.

Pour 1 portion, enlever 1 équivalent de fruit.

RHUBARBE AU JUS D'ORANGE

(2 portions)

Ingrédients

1 tasse (250 ml) de rhubarbe crue coupée en petits morceaux
1/2 tasse (125 ml) de fraises nature coupées en deux
1/2 tasse (125 ml) de jus d'orange sans sucre
1/2 cuil. à thé (2 ml) de muscade
2 sachets de substitut de sucre

Préparation

Dans une marmite, verser la rhubarbe, les fraises, le jus d'orange et la muscade. Laisser mijoter à feu doux de 10 à 15 minutes en brassant de temps en temps. Lorsque le mélange est cuit, ajouter le substitut de sucre.

Pour 1 portion, enlever 1 équivalent de fruit.

MOUSSE AUX FRAISES

(2 portions)

Ingrédients

2 blancs d'oeufs battus en neige très ferme
1 poire mûre coupée en morceaux
1/4 cuil. à thé (1 ml) d'essence de vanille
1 tasse (250 ml) de fraises nature coupées en petits
*   morceaux*

Préparation

Dans un bol profond, battre à l'aide d'une mixette les blancs d'oeufs, la poire et l'essence de vanille. Dans un plat allant au four vaporisé d'enduit végétal, verser le mélange des blancs d'oeufs en 2 portions. Faire un trou au centre de chacune des portions et cuire au four à 500°F (260°C) quelques secondes ou jusqu'à ce que la meringue soit bien dorée. Remplir le centre de fraises et servir.

Pour 1 portion, enlever 1 équivalent de fruit.

VELOUTÉ AUX BANANES

(4 portions)

Ingrédients

1 banane mûre écrasée
1 enveloppe de garniture à dessert hypocalorique (voir le
mode d'emploi sur l'enveloppe)
2 cuil. à table (600 ml) de yogourt léger (nature ou aux
bananes)
1 cuil. à thé (5 ml) de jus de citron
Un soupçon de cannelle

Préparation

Dans un bol profond, mélanger à l'aide d'un fouet la banane écrasée et le reste des ingrédients. Verser dans des coupes et servir.

Pour 1 portion, enlever 1 équivalent de fruit.

CENTRE DE TABLE AUX FRUITS

(4 portions)

Ingrédients

1 melon d'eau
1 carabole coupée en tranches
1 tasse (250 ml) de fraises nature
8 tomates miniatures
8 bouquets de chou-fleur
1/2 tasse (125 ml) de cerises rouges épongées
1 pêche pelée et coupée en quartiers
1 poire pelée et coupée en quartiers

Préparation

Couper le dessus du melon. À l'aide d'un couteau, faire un chemin de dentelle vers le haut du melon. Décorer de cerises rouges. Faire deux fenêtres à l'aide d'une cuillère. Enlever l'intérieur du melon et déposer les fruits. Faire une couronne de chou-fleur et de tomates miniatures piqués avec des cure-dents. Sur la tête, disposer des tranches de carabole et de fraises.

Pour 1/2 tasse (125 ml) de fruits, enlever 1 équivalent de fruit.

Glaçage pour gâteau de baptême, page 215
Gâteau à la mayonnaise, page 221

Glaçage à la noix de coco et aux pépites de caroube, page 216
Gâteau à la chapelure graham, page 222

Gâteau au fromage, page 219

Tarte au citron, page 227

SAUCE À FONDUE AU CHOCOLAT

(4 portions)

Ingrédients

12 onces (360 ml) de lait Carnation 2%
1/2 tasse (125 ml) de pépites de caroube sans sucre
Luzerne
Fruits à votre choix

Préparation

Dans une petite marmite, verser le lait et les pépites de caroube. À feu doux en remuant de temps en temps, laisser chauffer jusqu'à ce que les pépites de caroube soient fondues. Verser la sauce dans un plat à fondue. Dans une assiette de service garnie de luzerne, déposer les fruits de votre choix.

Pour 1 portion, enlever 3 onces (90 ml) de lait plus 1 équivalent de fruit.

COMPOTE AU JUS DE POMMES

(6 portions)

Ingrédients

2 pommes rouges, 1 pomme verte et 1 pomme jaune coupées en morceaux et non pelées
1 pêche pelée et coupée en morceaux (nature ou en conserve)
1/2 tasse (125 ml) de jus de pomme sans sucre
1 cuil. à table (15 ml) de substitut de sucre brun (facultatif)
1 cuil. à table (15 ml) de beurre d'arachides
1/2 cuil. à thé (2 ml) de cannelle
1 cuil. à table (15 ml) d'amandes blanches effilées

Préparation

Dans un mélangeur, réduire les ingrédients en purée et servir.

Pour 1 portion, enlever 1 équivalent de fruit.

COMPOTE DE ZUCCHINI

(2 portions)

Ingrédients

2 tasses (500 ml) de zucchini râpé
2 poires mûres pelées et écrasées
Eau
Cannelle au goût
2 cuil. à table (30 ml) de substitut de sucre brun (facultatif)

Préparation

Dans une marmite, verser le zucchini râpé, les poires, la cannelle et de l'eau à l'égalité de ces ingrédients. Cuire à feu doux de 15 à 18 minutes en brassant de temps à autre. S'il y a lieu, ajouter le substitut de sucre brun et servir.

Pour 1 portion, enlever 1 équivalent de fruit.

COMPOTE AUX FRUITS

(6 portions)

Ingrédients

4 pommes pelées et coupées en petits morceaux
2 pêches pelées, dénoyautées et coupées en petits morceaux
  (ou 4 demi-pêches en conserve rincées à l'eau froide)
1/2 tasse (125 ml) de zucchini râpé
1 cuil. à table (15 ml) de jus de lime
1/4 cuil. à thé (1 ml) de sel de légumes
1/4 cuil. à thé (1 ml) de cannelle
3 cuil. à thé (15 ml) de margarine réduite en calories
Eau
2 cuil. à table (30 ml) de substitut de sucre brun (facultatif)

Préparation

Dans une marmite moyenne, verser les 7 premiers ingrédients et ajouter de l'eau à égalité. Laisser mijoter à feu doux de 15 à 20 minutes en brassant délicatement de temps en temps. Lorsque la compote est cuite, ajouter le substitut de sucre brun, s'il y a lieu.

Pour 1 portion, enlever 1 équivalent de fruit.

POMMES AU GERME DE BLÉ

(2 portions)

Ingrédients

2 pommes pelées et coupées en morceaux
2 onces (60 ml) d'eau
Cannelle au goût
2 cuil. à thé (10 ml) de substitut de sucre brun (facultatif)
2 cuil. à table (30 ml) de germe de blé

Préparation

Dans une petite marmite, déposer les ingrédients et les cuire à feu doux de 8 à 10 minutes.

Pour 1 portion, enlever 1 équivalent de fruit.

PURÉE DE POMMES AUX CAROTTES

(4 portions)

Ingrédients

1 pomme pelée et coupée en morceaux
1 poire mûre pelée et coupée en morceaux
3/4 tasse (200 ml) de carottes râpées crues
1/8 cuil. à thé (1 pincée) de cannelle
6 onces (180 ml) de yogourt aux cerises léger

Préparation

Réduire tous les ingrédients en purée dans un mélangeur.
Verser dans 4 coupes à dessert et servir.

Pour 1 portion, enlever 1 équivalent de fruit plus 1/4
d'équivalent de légumes B.

PURÉE DE FRUITS

(3 portions)

Ingrédients

1 tasse (250 ml) de rhubarbe crue coupée en petits morceaux
1 tasse (250 ml) de fraises
1 pêche coupée en morceaux
6 sachets de substitut de sucre (facultatif)
Un soupçon de cannelle

Préparation

Dans un mélangeur, réduire tous les ingrédients en purée. Verser dans 3 coupes et servir.

Pour 1 portion, enlever 1 équivalent de fruit.

TREMPETTE DE FRUITS

(2 portions)

Ingrédients

6 onces (180 ml) de yogourt nature léger
2 cuil. à table (30 ml) de garniture à sundae à saveur de
rhum et de beurre réduite en calories
1 cuil. à thé (5 ml) d'essence de vanille

Préparation

Dans un petit plat, mélanger tous les ingrédients. Y tremper les fruits de votre choix.

Pour 1 portion, enlever 1 équivalent de fruit plus 1 équivalent de matière grasse.

POUDING VAPEUR AUX CAROTTES

(8 portions)

Ingrédients

1 poire mûre, pelée et écrasée
1 tasse (250 ml) de carottes crues râpées
1/4 tasse (60 ml) de margarine fondue réduite en calories
1 oeuf battu légèrement
3 cuil. à table (45 ml) de cassonade
1 1/4 tasse (310 ml) de farine tamisée 2 fois
5 cerises rouges hachées très fin
1/2 cuil. à thé (2 ml) de bicarbonate de soude
1 cuil. à thé (5 ml) de poudre à pâte
1/2 cuil. à thé (2 ml) de sel
1/2 cuil. à thé (2 ml) de cannelle
2 cuil. à table (30 ml) d'eau

Préparation

Dans un bol profond, verser la poire, les carottes râpées, la margarine et l'oeuf. Bien mélanger à l'aide d'une cuillère de bois. Ajouter la cassonade et la farine graduellement en brassant continuellement. Ajouter le reste des ingrédients. Verser ce mélange dans un moule vaporisé d'enduit végétal. Cuire au four, au bain-marie, à 325°F (160°C) de 50 à 55 minutes environ.

Pour 1 portion, enlever 1 équivalent de pain plus 1/2 équivalent de fruit.

PIZZA FRUITÉE

(10 portions)

Ingrédients

1 abaisse de tarte faite de gâteau éponge
2 enveloppes de pouding à la saveur de vanille réduit en
*   calories diluées dans 1 3/4 tasse (450 ml) de lait 2%*
1 tasse (250 ml) de fraises nature coupées en deux
2 kiwis pelés et coupés en tranches
1 tranche d'ananas

Préparation

Placer l'abaisse dans une assiette. Dans un bol profond, verser le lait, le pouding et mélanger de 2 à 3 minutes à l'aide d'une mixette (à haute vitesse). Verser le mélange dans l'abaisse. Décorer de fraises et de kiwis. Disposer la tranche d'ananas au centre et placer une grosse fraise au milieu.

Pour 1 portion, enlever 1 équivalent de pain plus 1 équivalent de fruit.

MUFFINS AU DAMABLANC

(12 muffins)

Ingrédients

1/2 tasse (125 ml) de farine de blé entier tamisée 2 fois
1 1/2 tasse (375 ml) de farine blanche tamisée 2 fois
2 1/2 cuil. à table (40 ml) de poudre à pâte
6 cuil. à table (90 ml) de cassonade
1/2 cuil. à thé (2 ml) de sel
1 tasse (250 ml) de fromage au Damablanc
1/2 tasse (125 ml) de lait 2%
1 oeuf battu légèrement
1 poire mûre pelée et écrasée
1/4 tasse (60 ml) d'huile végétale

Préparation

Dans un bol profond, mélanger la farine, la poudre à pâte, la cassonade et le sel à l'aide d'une mixette. Mélanger ensuite les ingrédients secs avec le Damablanc, le lait et le reste des ingrédients. Bien mélanger et verser ce mélange dans des moules à muffins de grandeur moyenne. Cuire au four à 325°F (160°C) de 25 à 30 minutes.

Pour 1 muffin, enlever 1 équivalent de pain plus 1 équivalent de matière grasse.

MUFFINS EN BAGATELLE

(4 portions)

Ingrédients

4 muffins moyens émiettés
1/2 tasse (125 ml) de fromage Damablanc nature à .5% de matière grasse
1 cuil. à table (15 ml) de caroube
1 cuil. à thé (5 ml) d'essence de vanille
1 poire mûre, pelée et écrasée
1 cuil. à table (15 ml) de substitut de sucre brun (facultatif)
1/2 tasse (125 ml) de cerises rouges en conserve, rincées à l'eau froide, égouttées, asséchées et hachées fin

Préparation

Dans un bol, mélanger à l'aide d'une cuillère en bois les muffins, le fromage, le caroube, l'essence de vanille, la poire et le substitut de sucre brun. Bien mélanger et verser dans un plat carré. Garnir de cerises hachées. Couvrir de papier d'aluminium, déposer au réfrigérateur 1 heure et servir.

Pour 1 portion, enlever 1 équivalent de pain plus 1 équivalent de matière grasse plus 1/2 once (15 g) de viande plus 1/2 équivalent de fruit.

MUFFINS AUX PÉPITES DE CAROUBE

(12 muffins)

Ingrédients

1 1/2 tasse (375 ml) de farine tout usage
1/2 tasse (125 ml) de farine de blé entier
1/4 tasse (60 ml) de carottes râpées
3 cuil. à thé (15 ml) de poudre à pâte
1/2 cuil. à thé (2 ml) de sel
6 cuil. à thé (30 ml) de margarine réduite en calories
1 tasse (250 ml) de lait 2%
1/2 tasse (125 ml) de pépites de caroube sans sucre

Préparation

Dans un bol, mélanger les 5 premiers ingrédients. Ajouter ensuite la margarine et le lait graduellement en brassant continuellement à l'aide d'une cuillère de bois. Bien mélanger et ajouter les pépites de caroube. Verser ce mélange dans 12 moules à muffins et cuire au four à 400°F (205°C) de 25 à 30 minutes environ.

Pour 1 muffin, enlever 1 équivalent de pain plus 1 équivalent de matière grasse.

GAUFRES À BASSES CALORIES

(12 portions)

Ingrédients

1 tasse (250 ml) de farine blanche
3/4 tasse (200 ml) de farine de blé entier
1 cuil. à table (15 ml) de poudre à pâte
1/2 cuil. à thé (2 ml) de sel
2 oeufs (jaunes et blancs séparés)
6 cuil. à thé (30 ml) de margarine fondue réduite en calories
12 onces (360 ml) de lait 2%
1/2 tasse (125 ml) de compote de pommes non sucrée

Préparation

Dans un bol profond, tamiser les 4 premiers ingrédients. Dans un autre plat, mélanger à l'aide d'un fouet les jaunes d'oeufs et la margarine fondue. Verser ce mélange sur les ingrédients secs. Bien mélanger. Dans un autre bol, monter les blancs d'oeufs en neige et mélanger ensuite tous les ingrédients ensemble. Cuire en 12 portions dans un gaufrier vaporisé d'enduit végétal ou dans une poêle T-Fal jusqu'à ce que les gaufres soient bien dorées.

Pour 1 portion (gaufre), enlever 1 équivalent de pain plus 1/4 d'équivalent de matière grasse.

POUDING AU PAIN AU CHOCOLAT

(4 portions)

Ingrédients

4 tranches de pain sec émiettées
8 cuil. à table (120 ml) de raisins secs
1/4 tasse (60 ml) de pépites de caroube non sucrée
1/2 tasse (125 ml) de lait 2%
1 oeuf battu légèrement
1 cuil. à table (15 ml) de cassonade

Préparation

Dans un bol, mélanger tous les ingrédients et verser ensuite dans un plat allant au four vaporisé d'enduit végétal. Cuire au four à 350°F (175°C) de 18 à 20 minutes.

Pour 1 portion, enlever 1 équivalent de pain plus 1 équivalent de fruit plus 1 once (30 ml) de lait plus 1/4 d'once (8 g) de viande.

CRÊPES FOURRÉES AUX FRAISES

(10 portions)

Ingrédients

1 tasse (250 ml) de farine
1/4 tasse (60 ml) de chapelure graham au chocolat
1 tasse (250 ml) d'eau
1/2 tasse (125 ml) de lait 2%
1 cuil. à thé (5 ml) d'essence d'érable
1 cuil. à table (15 ml) de substitut de sucre brun (facultatif)
5 tasses (1,25 litre) de fraises
5 blancs d'oeufs battus en neige très ferme avec 5 sachets de substitut de sucre et 1 cuil. à thé (5 ml) d'essence de vanille

Préparation

Dans un bol profond, mélanger à l'aide d'une mixette la farine, la chapelure, l'eau, le lait, le sel, l'essence d'érable et le substitut de sucre. Prendre 1/4 tasse (60 ml) de ce mélange pour faire une crêpe. Cuire chaque crêpe à feu doux dans une poêle T-Fal jusqu'à ce qu'elle soit bien dorée. Verser 1/2 tasse (125 ml) de fraises sur chacune et en faire un rouleau. Décorer de blancs d'oeufs et faire dorer au four à «broil» pendant quelques minutes. Servir.

Pour une crêpe, enlever 1 équivalent de pain plus 1/2 équivalent de fruit.

PITA ROULÉ AUX FRAISES

(2 portions)

Ingrédients

1 pain pita de blé entier de 6 pouces (15 cm) dédoublé
4 cuil. à table (60 ml) de beurre d'arachides
2 tasses (500 ml) de fraises

Préparation

Chauffer le pain pita dédoublé quelques minutes au four. Retirer du four, napper les 2 parties du pain de beurre d'arachides et garnir de fraises. Rouler et servir.

Pour 1 pain pita, enlever 1 équivalent de pain plus 2 équivalents de viande plus 1 équivalent de fruit.

CARRÉ DE BISCUITS PETIT BEURRE

(3 portions)

Ingrédients

*2 enveloppes de Jell-O léger à la saveur de fraise dilué
   dans 1 tasse (250 ml) d'eau bouillante et 1 tasse (250
   ml) d'eau froide*
2 tasses (500 ml) de fraises coupées en deux
1 poire mûre pelée et coupée en petits morceaux
12 biscuits Petit Beurre

Préparation

Dans un mélangeur, verser le Jell-O dilué, les fraises et
la poire. Mélanger quelques secondes. Dans un plat carré
de 8 1/2 pouces (20 cm) vaporisé d'enduit végétal, déposer
les 12 biscuits et verser dessus le mélange. Attendre que
les biscuits remontent à la surface et déposer au
réfrigérateur pendant 2 heures avant de servir.

Pour 1 portion, enlever 1 équivalent de fruit plus 1
équivalent de pain.

CARRÉS AUX KIWIS

(3 portions)

Ingrédients

12 biscuits secs à la noix de coco
3 kiwis pelés et coupés en tranches
3 enveloppes de Jell-O léger à la saveur de lime dilué dans
  1 1/2 tasse (375 ml) d'eau bouillante et 1 1/2 tasse
  (375 ml) d'eau froide
1 poire en conserve coupée en tranches
9 petites boules de melon de miel

Préparation

Dans un plat carré de 8 1/2 pouces (20 cm), déposer les biscuits et les tranches de kiwis. Verser le Jell-O léger. Couvrir de papier d'aluminium et placer au réfrigérateur pendant environ 2 heures. Décorer de tranches de poires, de boules de melon de miel et servir.

Pour 1 portion, enlever 1 équivalent de pain plus 1 équivalent de fruit.

CARRÉS AUX RAISINS

(4 portions)

Ingrédients

1 1/4 tasse (300 ml) d'eau froide
3/4 tasse (200 ml) de raisins secs à tarte
1/2 tasse (125 ml) de chapelure graham au chocolat

Préparation

Dans une marmite de grandeur moyenne, verser l'eau et les raisins. Cuire à feu doux de 18 à 20 minutes. Ajouter ensuite la chapelure graham graduellement en brassant continuellement. Verser le mélange dans un plat, recouvrir de papier d'aluminium et réfrigérer pendant 20 minutes avant de servir.

Pour 1 portion, enlever 1/2 équivalent de pain plus 1 équivalent de fruit.

CARRÉS AUX DATTES

(4 portions)

Ingrédients

8 dattes coupées en petits morceaux
1 1/2 tasse (375 ml) de céréales granola
1/4 tasse (60 ml) de chapelure graham au chocolat
4 cuil. à table (60 ml) de beurre d'arachides
2 cuil. à table (30 ml) de lait 2%
Sel au goût
1 cuil. à thé (5 ml) d'essence de vanille

Préparation

Cuire les dattes dans 1/2 tasse (125 ml) d'eau à feu doux pendant 7 à 8 minutes. Réserver. Dans un bol, mélanger les céréales, la chapelure, le beurre d'arachides, le lait, le sel, l'essence de vanille ainsi que les dattes. Verser ce mélange dans un plat allant au four et cuire au four à 350°F (175°C) durant 15 minutes environ.

Pour 1 portion, enlever 1 équivalent de fruit plus 1 équivalent de pain plus 1 once (30 g) de viande.

SUCRE À LA CRÈME AUX PÉPITES DE CAROUBE

(10 portions)

Ingrédients

2/3 tasse (150 ml) de lait Carnation 2% dilué dans 2/3
tasse (150 ml) d'eau froide
1 sachet de gélatine sans saveur non diluées
1 cuil. à thé (5 ml) d'essence de vanille
1 tasse (250 ml) de pépites de caroube sans sucre
2 tasses (500 ml) de lait écrémé en poudre non dilué
2 cuil. à table (30 ml) de substitut de sucre brun
2 cuil. à thé (10 ml) de caroube

Préparation

Dans une petite marmite profonde, verser le lait Carnation, le sachet de gélatine, le sel, l'essence de vanille et la tasse de pépites de caroube. Chauffer à feu doux en brassant continuellement de 3 à 4 minutes. Lorsque les pépites seront fondues, retirer du feu. Ajouter graduellement le lait en poudre, le substitut de sucre et le caroube en brassant à l'aide d'une cuillère de bois. Bien mélanger. Dans un plat de 5 par 9 pouces (13 x 23 cm) vaporisé d'enduit végétal, verser le mélange. Couvrir de papier d'aluminium et ranger au réfrigérateur pendant 1 heure avant de servir.

Pour 1 morceau, enlever 1 équivalent de lait.

GLAÇAGE POUR GÂTEAU DE BAPTÊME

(quantité pour 1 gâteau)

Ingrédients

3/4 tasse (200 ml) de lait 2%
6 enveloppes de garniture à dessert hypocalorique
1 cuil. à thé (5 ml) d'essence de vanille
14 gommes «balloune» sans sucre

Préparation

Dans un bol profond, bien mélanger à l'aide d'une mixette le lait, les enveloppes de garniture à dessert et l'essence de vanille. Glacer le gâteau et décorer de gommes (et de fleurs si désiré).

Pour 1/2 tasse (125 ml) de glaçage, enlever 1 équivalent de fruit.

GLAÇAGE À LA NOIX DE COCO ET AUX PÉPITES DE CAROUBE

(quantité pour 1 gâteau)

Ingrédients

3/4 tasse (200 ml) de lait 2%
6 enveloppes de garniture à dessert hypocalorique
1 cuil. à thé (5 ml) d'essence de vanille
1/4 tasse (60 ml) de noix de coco sans sucre râpée
1/4 tasse (60 ml) de pépites de caroube sans sucre

Préparation

Dans un bol profond, mélanger à l'aide d'une mixette le lait, la garniture à dessert et l'essence de vanille. Glacer le gâteau et le décorer de noix de coco et de pépites de caroube.

Pour 1/2 tasse (125 ml) de glaçage, enlever 1 équivalent de fruit.

DÉCORATION DE GÂTEAU

(10 portions)

Ingrédients

*9 petites boules de crème glacée de 1/3 tasse (75 ml)
chacune à la saveur de vanille ou d'érable
1/2 tasse (125 ml) de cerises rouges en conserve avec
queues, rincées à l'eau froide, égouttées et asséchées
1/4 tasse (60 ml) de pépites de caroube sans sucre*

Préparation

Sur un gâteau, placer les 9 boules de crème glacée au centre. Faire une couronne avec les cerises rouges, déposer les pépites de caroube sur les boules de crème glacée et servir.

Pour 1 portion, enlever 1 équivalent de fruit.

GÂTEAU À LA COURGE À SPAGHETTI

(12 portions)

Ingrédients

1 3/4 tasse (375 ml) de farine tout usage
1/3 tasse (75 ml) de sucre
1/4 cuil. à thé (1 ml) de sel
3 cuil. à thé (15 ml) de poudre à pâte comble
1/4 tasse (60 ml) de caroube
1/4 tasse (60 ml) de margarine réduite en calories fondue
1 tasse (250 ml) de lait 2%
1 oeuf battu légèrement
1/3 tasse (75 ml) de courge à spaghetti

Préparation

Dans un bol, mélanger à l'aide d'une mixette les ingrédients secs. Ajouter la margarine, le lait (graduellement), l'oeuf et la courge à spaghetti. Dans un moule à gâteau (rond ou carré) vaporisé d'enduit végétal, verser le mélange et cuire au four à 375°F (190°C) de 25 à 28 minutes au plus.

Pour 1 portion, enlever 1 équivalent de pain plus 1/2 équivalent de matière grasse.

GÂTEAU AU FROMAGE

===

(2 portions)

Ingrédients

6 biscuits graham émiettés
1 enveloppe de garniture à dessert réduite en calories (voir
    le mode d'emploi sur l'enveloppe)
1 paquet de fromage Philadelphia léger de 4 onces (120 g)
1 jaune d'oeuf battu légèrement
2 cuil. à table (30 ml) de jus d'orange sans sucre
1 enveloppe de Jell-O à l'orange léger dilué dans 1/4 tasse
    (60 ml) d'eau froide
2 cuil. à table (30 ml) de zeste d'orange (facultatif)

Préparation

Couvrir le fond d'un moule carré de biscuits graham.
Dans un bol profond, mélanger à l'aide d'une mixette la
garniture à dessert, le fromage, le jaune d'oeuf, le Jell-O
dilué et le zeste d'orange s'il y a lieu. Verser ce mélange
sur les biscuits graham et réfrigérer pendant 1/2 heure
avant de servir.

===

Pour 1 portion, enlever 1 équivalent de pain plus 1
équivalent de fruit plus 2 1/2 onces (45 g) de viande.

GÂTEAU À LA RHUBARBE ET AUX FRAISES

(10 portions)

Ingrédients

3 tasses (750 ml) de rhubarbe crue coupée en petits morceaux
1 tasse (250 ml) de fraises
1/4 tasse (60 ml) de substitut de sucre brun
1 1/3 tasse (325 ml) de farine tout usage
1/2 cuil. à thé (2 ml) de sel
1/3 tasse (75 ml) de sucre
3 cuil. à thé (15 ml) de poudre à pâte
1 oeuf battu légèrement
3 cuil. à table (45 ml) de margarine fondue
3/4 tasse (200 ml) de lait 2%

Préparation

Dans une petite marmite, verser la rhubarbe et de l'eau à égalité de celle-ci. Cuire à feu doux de 20 à 22 minutes. Dans un plat carré allant au four vaporisé d'enduit végétal, verser la rhubarbe, les fraises et le substitut de sucre brun. Réserver. Dans un bol profond, tamiser la farine, le sucre, le sel et la poudre à pâte. Ajouter l'oeuf. Bien mélanger à l'aide d'un fouet. Verser le lait graduellement et la margarine en brassant continuellement. Verser ce mélange sur les fruits et cuire au four à 375°F (190°C) de 35 à 40 minutes environ.

Pour 1 portion, enlever 1 équivalent de pain plus 1/2 équivalent de fruit.

GÂTEAU À LA MAYONNAISE

(14 portions)

Ingrédients

2 tasses (500 ml) de farine
1 cuil. à thé (5 ml) de bicarbonate de soude
2 cuil. à thé (10 ml) de poudre à pâte
2 cuil. à thé (10 ml) de cannelle
1/2 cuil. à thé (2 ml) de muscade
1/2 cuil. à thé (2 ml) de sel
1/3 tasse (75 ml) de sucre
2 oeufs battus légèrement
1/2 tasse (125 ml) de mayonnaise réduite en calories
    diluée dans 1/2 tasse (125 ml) de lait 2%
1/2 tasse (125 ml) d'ananas broyés, rincés à l'eau froide
    et égouttés

Préparation

Dans un bol, mélanger à l'aide d'une mixette les 7 premiers ingrédients. Ajouter les oeufs, la mayonnaise diluée dans le lait, les ananas broyés et bien mélanger. Dans un moule rond ou carré vaporisé d'enduit végétal, verser le mélange et cuire au four à 350°F (175°C) de 35 à 40 minutes environ ou jusqu'à ce que le gâteau soit bien cuit.

Pour 1 portion, enlever 1 équivalent de pain plus 1 équivalent de fruit.

GÂTEAU À LA CHAPELURE GRAHAM

(10 portions)

Ingrédients

1 1/4 tasse (300 ml) de farine
1/2 tasse (125 ml) de chapelure graham ordinaire ou au chocolat
2 3/4 cuil. à thé (14 ml) de poudre à pâte
1/3 tasse (75 ml) de sucre
1 oeuf et le blanc d'un oeuf battu légèrement
1/4 tasse (60 ml) de margarine réduite en calories
1 cuil. à thé (5 ml) d'essence d'érable
1 tasse (250 ml) de lait 2%

Préparation

Dans un bol profond, mélanger à l'aide d'une mixette les ingrédients secs. Ajouter les ingrédients liquides un à la fois. Bien mélanger. Verser ce mélange dans un moule rond ou carré vaporisé d'enduit végétal et cuire au four à 400°F (205°C) de 22 à 25 minutes (ou dans un moule à pain de 25 à 30 minutes) ou jusqu'à ce que le gâteau soit bien cuit.

Pour 1 portion, enlever 1 équivalent de pain.

ABAISSE DE TARTE À LA CHAPELURE GRAHAM

(6 portions)

Ingrédients

1 1/4 tasse (310 ml) de chapelure graham nature ou au chocolat

1/4 tasse (60 ml) de beurre (ou de margarine) fondu réduit en calories

Préparation

Dans un bol, mélanger les ingrédients. A l'aide d'une cuillère à table, étendre le mélange dans une assiette à tarte de 9 pouces (22,5 cm). Cuire au four à 550°F (295°C) pendant 2 minutes environ.

Pour chaque portion de cette croûte de tarte divisée en 6, enlever 1 équivalent de pain plus 1 équivalent de matière grasse.

TARTE AU CHOCOLAT À LA PHILADELPHIA

(6 portions)

Ingrédients

1 abaisse de tarte à la chapelure graham (voir recette à la page 223)

1 enveloppe de pouding au chocolat réduit en calories (voir le mode d'emploi sur la boîte)

1 paquet de 4 onces (125 g) de fromage Philadelphia léger fondu

2 poires mûres, pelées et écrasées (ou en conserve)

Préparation

Dans une marmite, à feu doux, faire la préparation de pouding au chocolat. Ajouter le fromage Philadelphia et les poires écrasées. Faire mijoter quelques minutes en brassant continuellement. Verser ce mélange dans l'abaisse de tarte graham. Décorer à votre goût.

Pour 1 portion de cette tarte, enlever 1 équivalent de fruit plus 1 once (30 g) de viande plus 1 équivalent de pain et 1 équivalent de matière grasse.

TARTE DE RÊVE

(6 portions)

Ingrédients

1 abaisse de tarte à la chapelure graham ordinaire ou au
chocolat (voir recette à la page 223)
1 enveloppe de pouding au chocolat réduit en calories
(voir le mode d'emploi sur la boîte)
1 enveloppe de garniture à desserts réduite en calories
mélangée dans 1/4 tasse (60 ml) de lait 2% plus 1/2
cuil. à thé (2 ml) d'essence de vanille
1 poire mûre, pelée et écrasée
6 cuil. à table (90 ml) de fromage Philadelphia léger
1 cuil. à table (15 ml) de noix de coco non sucré

Préparation

Dans un bol profond, mélanger le pouding. Ajouter la garniture à dessert, la poire et le fromage Philadelphia. Bien mélanger les ingrédients à l'aide d'une mixette (à vitesse moyenne). Verser ce mélange dans l'abaisse de tarte et saupoudrer de noix de coco râpé. Déposer au réfrigérateur pendant 1 heure avant de servir.

Pour 1 portion, enlever 1 équivalent de pain plus 1 équivalent de matière grasse plus 1 équivalent de fruit plus 1/2 once (15 g) de viande.

TARTE AU FROMAGE

(6 portions)

Ingrédients

1 abaisse de tarte à la chapelure graham ordinaire (voir recette à la page 223)
1/2 tasse (125 ml) de fromage cottage léger
1/4 tasse (60 ml) de fromage Damablanc
1/2 tasse (125 ml) de jus d'ananas non sucré
1 cuil. à table (15 ml) de jus de citron
2 poires mûres pelées et écrasées
1/8 cuil. à thé (1 pincée) de cannelle
1 enveloppe de gélatine sans saveur diluée dans 1/4 tasse (60 ml) d'eau froide
1/2 tasse (125 ml) de fraises coupées en tranches
1 tangerine pelée et séparée en morceaux

Préparation

Dans un mélangeur, verser le fromage cottage, le fromage Damablanc, le jus de citron, les poires et la cannelle. Mélanger quelques secondes. Ajouter la gélatine diluée. Verser ce mélange dans l'abaisse de tarte. Ranger au réfrigérateur pendant 1 heure. Décorer le centre de la tarte de fraises et faire une couronne avec les morceaux de tangerine.

Pour 1 portion, enlever 1 équivalent de pain plus 1 équivalent de matière grasse plus 1/2 once (15 g) de viande plus 1/2 équivalent de fruit.

TARTE AU CITRON

(6 portions)

Ingrédients

1 abaisse de tarte à la chapelure graham (voir recette à la page 223)

1/2 sachet de Jell-O au citron léger dilué dans 1/2 tasse (125 ml) d'eau chaude

1 cuil. à thé (5 ml) de zeste de citron râpé

1 cuil. à thé (5 ml) de zeste de lime râpé

1 cuil. à table (15 ml) de jus de citron

1 cuil. à table (15 ml) de jus de lime

1/4 cuil. à thé (1 ml) de cannelle

1 jaune d'oeuf battu

2 1/4 tasses (560 ml) de yogourt léger nature ou au citron

Quelques gouttes de colorant alimentaire jaune

Tranches de citron et de lime

Feuilles de menthe

Préparation

Dans une petite marmite, verser le Jell-O dilué, le zeste de citron et de lime, la cannelle, le jus de citron et de lime et le jaune d'oeuf. Laisser mijoter à feu doux quelques minutes en brassant continuellement. Laisser refroidir quelques minutes. Verser le substitut de sucre et le yogourt. Bien mélanger. Verser ce mélange dans l'abaisse. Ranger au réfrigérateur pendant 1 heure. Décorer de tranches de citron et de lime et de feuilles de menthe.

Pour 1 portion, enlever 1 équivalent de pain plus 1 équivalent de matière grasse et 1 équivalent de fruit.

TARTE AUX PRUNES DES CHAMPS

(6 portions)

Ingrédients

1 abaisse de tarte à la chapelure graham (voir recette à la page 223)
24 prunes dénoyautées
Eau
1 enveloppe de glaçage aux pêches «glaze» non dilué
4 sachets de substitut de sucre

Préparation

Dans une marmite de grandeur moyenne, verser les prunes et ajouter de l'eau à égalité. Laisser mijoter à feu doux de 15 à 18 minutes en brassant de temps en temps. A l'aide d'une mixette, ajouter, un peu à la fois, le glaçage et le substitut de sucre. Lorsque le mélange est uniforme, le verser dans l'abaisse de tarte. Laisser refroidir et réfrigérer pendant 1 heure avant de servir.

Pour 1 portion, enlever 1 1/3 d'équivalent de pain plus 1 équivalent de matière grasse plus 1 équivalent de fruit.

TARTE AUX ANANAS

(6 portions)

Ingrédients

1 abaisse de tarte à la chapelure graham ordinaire ou au chocolat (voir recette à la page 223)
1 boîte d'ananas non sucrés de 19 onces (540 ml) avec le jus
3/4 tasse (200 ml) d'eau froide
1 cuil. à thé (5 ml) d'essence de vanille
1 sachet de gélatine sans saveur diluée dans 1/2 tasse (125 ml) d'eau froide
1 poire mûre pelée et écrasée
1 cuil. à table (15 ml) de substitut de sucre brun (facultatif)

Préparation

Dans une marmite moyenne, verser les ananas, l'eau, l'essence de vanille, la gélatine et la poire. Laisser mijoter à feu doux 20 minutes environ en brassant de temps en temps. Lorsque la préparation est cuite, ajouter le substitut de sucre brun s'il y a lieu. Bien mélanger. Verser le mélange dans l'abaisse de tarte et réfrigérer pendant 2 heures environ avant de servir.

Pour 1 portion, enlever 1 équivalent de pain plus 1 équivalent de matière grasse et 1 équivalent de fruit.

TARTE AUX CERISES

(6 portions)

Ingrédients

1 abaisse de tarte à la chapelure graham ordinaire (voir recette à la page 223)
1 1/2 tasse (375 ml) de cerises rouges au marasquin rincées à l'eau froide
2 tasses (500 ml) d'eau
3/4 tasse (200 ml) de fromage Philadelphia léger
1/2 enveloppe de Jell-O léger à la saveur de cerises
1 enveloppe de garniture à dessert réduite en calories (voir le mode d'emploi sur l'enveloppe)

Préparation

Dans une marmite moyenne, verser les cerises et l'eau. Cuire à feu doux pendant 20 minutes. Retirer les cerises et réserver. Remettre la marmite d'eau bouillante sur le feu. Y verser le fromage et le Jell-O en brassant continuellement jusqu'à ce que le fromage soit bien dissous. Verser ce mélange dans l'abaisse de tarte. Ranger au réfrigérateur pendant une demi-heure. Décorer la tarte de cerises et faire une couronne avec la garniture à dessert.

Pour 1 portion, enlever 1 équivalent de pain plus 1 équivalent de matière grasse plus 1/2 équivalent de fruit plus 1 once (30 g) de viande.

LE COMPTE-CALORIES

Toute personne qui désire vraiment maintenir son poids ou perdre quelques livres peut y arriver avec un effort minime. Certains aliments contiennent beaucoup de calories et provoquent une augmentation de poids alors que d'autres nous aident à maintenir notre poids. Vous trouverez dans le tableau ci-dessous de nombreux aliments savoureux qui sont moins engraissants et contiennent peu de calories. En suivant ces suggestions, vous pourrez conserver votre poids santé.

AU LIEU DE	CALORIES	JE REMPLACE PAR	CALORIES	EN MOINS
BREUVAGES				
Lait 3,25% (1 tasse/250 ml)	160	Lait 2% (1 tasse/250 ml)	123	37
Cola (1 tasse/250 ml)	105	Liqueur blanche réduite en calories (1 tasse/250 ml)	1	104
Chocolat malté (1 tasse/250 ml)	450	Limonade (non sucrée) (1 tasse/250 ml)	50	400

AU LIEU DE	CALORIES	JE REMPLACE PAR	CALORIES	EN MOINS
Café (crème + 2 cuil. à thé/10 ml de sucre)	95	Café de céréales (noir, substitut de sucre)	0	95
Cacao (au lait 3,25%) (1 tasse/250 ml)	235	Caroube au lait 2% (1 tasse/250 ml)	123	112
Bière (1 bouteille/0,75 litre)	160	Bière légère (1 bouteille/0,75 litre)	120	40
Vin sec (1 once/30 ml)	80	Vin réduit en calories 5% alcool (6 onces/180 ml)	40	40
Cristaux pour breuvage (1 cuil. à table/15 ml)	24	Eau minérale	0	24
VIANDES, POISSONS, FROMAGES ET OEUFS				
1 oeuf frit	113	1 oeuf à la coque	80	33

AU LIEU DE	CALORIES	JE REMPLACE PAR	CALORIES	EN MOINS
Poulet pané (4 onces/120 g)	323	Poulet, dinde (bouillis ou en conserve)(4 onces/120 g)	140	183
Boeuf rôti (3 onces/90 g)	339	Boeuf bouilli (3 onces/90 g)	220	119
Porc rôti (3 onces/90 g)	336	Porc ou côtelette cuits au four (3 onces/90 g)	220	116
Morue frite (3 onces/90 g)	229	Morue grillée (3 onces/90 g)	153	76
Jambon rôti (3 onces/90 g)	315	Jambon maigre grillé (3 onces/90 g)	200	115
Saucisses de porc (3 onces/90 g)	405	Foie (3 onces/90 g)	210	195
Homard au beurre (4 onces/120 g)	300	Homard au citron (4 onces/120 g)	95	205
Bâtonnets de poisson (4 onces/120 g)	200	Truite (4 onces/120 g)	130	70

AU LIEU DE	CALORIES	JE REMPLACE PAR	CALORIES	EN MOINS
Huîtres frites (6)	250	Huîtres napées en coquille (6)	100	150
Rôti de porc (épaule) (4 onces/120 g)	310	Rôti de veau ou Rôti de porc (fesse) (4 onces/120 g)	185	60
Hamburger frit (gras) (4 onces/120 g)	245	Hamburger grillé maigre (4 onces/120 g)	185	60
Canard rôti (4 onces/120 g)	200	Crevettes (6 grosses)	90	110
Fromage gruyère Suisse, Camembert, Edam (1 once/30 g)	115	Fromage à la crème léger (1 once/30 g)	95	20
Fromage parmesan fondu (1 once/30 g)	90	Tofu (4 onces/120 g)	60	30
Jambon (3 1/2 onces/105 g)	260	Saumon (3 1/2 onces/105 g)	200	60
Saucisses (3 1/2 onces/105 g)	350	Filets de sole, d'aiglefin (3 1/2 onces/105 g)	80	270

AU LIEU DE	CALORIES	JE REMPLACE PAR	CALORIES	EN MOINS
PAIN				
1 tranche de pain avec 1 cuil. à thé/15 ml de beurre ou margarine	117	1 tranche de pain réduit en calories avec 1 cuil. à thé/ 15 ml de beurre ou margarine	58	59
Chips (10 moyennes)	115	Pretzels (10 petites)	35	80
Maïs soufflé sucré (1 tasse/250 ml)	149	Maïs soufflé (1 tasse/250 ml)	65	84
Pommes de terre frites (1 tasse/250 ml)	480	Pomme de terre au four (1 moyenne)	100	380
Pommes de terre en purée (1 tasse/250 ml)	240	Pomme de terre bouillie (1 moyenne)	100	140
1 tranche de pain brun aux noix	220	1 tranche de pain brun ou blanc réduit en calories	40	180
1 tranche de pain Budwig	81	1 tranche de pain léger	40	41

AU LIEU DE	CALORIES	JE REMPLACE PAR	CALORIES	EN MOINS
Tarte au sucre (1/6)	470	Tarte aux fruits avec abaisse de tarte graham (1/6)	170	300
Pâtisserie danoise (1 moyenne)	150	Gaufrettes diététiques à la vanille (2)	50	100
Chou ou éclair au chocolat	306	Muffin au son	86	220
Pouding au pain (3/4 tasse/200 ml)	314	Carré au dattes (1)	226	88
Gâteau au chocolat avec glaçage (2 étages 1 pointe de 2 pouces/5 cm)	445	Gâteau éponge(1 pointe de 1 1/2 pouces /3,75 cm)	60	385
Pâté à la viande ou tourtière (1/6)	451	Pâté à la viande au pain pita	270	181

AU LIEU DE	CALORIES	JE REMPLACE PAR	CALORIES	EN MOINS
MATIÈRES GRASSES				
Huile ordinaire (1 cuil. à table/15 ml)	118	Vinaigrette réduite en calories (1 cuil. à table/15 ml)	15	103
Mayonnaise (1 cuil. à table/15 ml)	118	Vinaigrette réduite en calories (1 cuil. à table/15 ml)	15	103
Vinaigrette française ordinaire (1 cuil. à table/15 ml)	105	Vinaigrette réduite en calories (1 cuil. à table/15 ml)	15	90
Crème 35% (1 cuil. à table/15 ml)	86	Crème 10% (1 once/30 ml)	36	50
Huile végétale (3 1/2 onces/105 ml)	1000	Margarine (3 1/2 onces/105 ml)	750	250

AU LIEU DE	CALORIES	JE REMPLACE PAR	CALORIES	EN MOINS
PRODUITS LAITIERS				
Lait frappé ordinaire (1 tasse/250 ml)	710	Lait 2% (1 tasse/250 ml)	123	587
Shake au chocolat (1 tasse/250 ml)	364	Lait 3,25% (1 tasse/250 ml)	160	204
Shake à la vanille (1 tasse/250 ml)	323	1 tasse (250 ml) de lait 2% plus 1 cuil. à thé/5 ml de caroube plus 1 sachet de substitut de sucre	125	198
Sundae aux fraises	229	Crème glacée à la vanille (1/2 tasse/125 ml)	150	79
Sundae au chocolat	290	Yogourt aux fruits au lait 2% (4 onces/120 ml)	100	190
Milk shake (1 tasse/250 ml)	370	Lait glacé (1/2 tasse/125 ml)	150	220
Cornet de crème glacée (gros)	340	Cornet de crème glacée (petit)	140	200

AU LIEU DE	CALORIES	JE REMPLACE PAR	CALORIES	EN MOINS
DIVERS				
Tablette de chocolat (2 onces/60 g)	252	Pêche (1)	46	206
Pizza garnie (petite)	364	Pizza garnie aux pain pita	200	164
Hot hamburger	531	Hamburger ouvert maigre (2 onces/60 g)	200	331
Club sandwich	500	Sandwich ouvert bacon tomates	200	300
Haricots au lard (1 tasse/250 ml)	320	Haricots verts (1 tasse/250 ml)	30	290
Fèves de Lima (1 tasse/250 ml)	180	Asperges (1 tasse/250 ml)	35	145
Maïs en boîte (1 tasse/250 ml)	170	Chou-fleur (1 tasse/250 ml)	25	145

AU LIEU DE	CALORIES	JE REMPLACE PAR	CALORIES	EN MOINS
Petits pois en boîte (1 tasse/250 ml)	165	Petits pois frais (1 tasse/250 ml)	115	50
Courge d'hiver (1 tasse/250 ml)	130	Courge d'été (1 tasse/250 ml)	30	100
Sucré à la crème (1 morceau)	114	Bonbon sans sucre (1)	0	114
1 gomme à mâcher	161	1 gomme à mâcher sans sucre	0	161
Crêpe avec beurre et sirop (1 grosse)	307	Crêpe avec 1/2 tasse/125 ml de salade de fruits (1 petite)	100	207
Pop-sicle (1)	95	Pop-sicle au jus de fruits sans sucre (1/2 tasse/125 ml)	50	45

LES FAMILLES DU GUIDE ALIMENTAIRE CANADIEN

FAMILLE DES LÉGUMES B

QUANTITÉ*

Artichaut	
Betterave	
Carotte	
Courge	
Citrouille	
Macédoine	
Navet	
Oignon	
Pois verts	
Panais	
Rutabaga	
Chou de Siam	
Soupe aux légumes	(6 onces/180 ml)
Jus de légumes	
Jus de palourds	
Jus V8	(8 onces/240 ml)

*1/2 tasse (125 ml) de ces légumes vaut 1 légume B.
Tous les autres légumes peuvent être mangés à volonté.

FAMILLE DES VIANDES

	QUANTITÉ*
Boeuf maigre, filet mignon	1 once (30 g)
Boeuf haché, en cubes, rôti	1 once (30 g)
Poulet, dinde, jambon, agneau	1 once (30 g)
Cretons maigre	2 cuil. à table (30 g)
Porc maigre, haché, rôti	1 once (30 g)
Saumon, truite, aiglefin, sole, morue, flétan, etc.	1 once (30 g)
Crevettes en conserve	10 moyennes ou 18 petites
Sardines égouttées	3 moyennes
Crabe, hareng, homard, saumon, thon en conserve	1/4 tasse (60 g)
Fromage	1 once (30 g)
Cottage et ricotta	1/4 tasse (60 g)
Tofu	1/2 tasse (120 g)
Beurre d'arachides	1 cuil. à table (15 g)
Orignal, chevreuil, caribou	1 once (30 g)
Perdrix, lièvre	1 once (30 g)

* La quantité indiquée correspond à 1 équivalent de viande (ex.: 1 once (30 g) de boeuf maigre = 1 équivalent de viande).

FAMILLE DU PAIN

Pain blanc, brun, etc.	1 tranche
Pain réduit en calories (léger)	1 1/2 tranche
Céréales à blé entier (gruau)	1/2 tasse (125 ml)
Céréales (Corn Flakes, Spécial K, etc.)	3/4 tasse (200 ml)
Pâtes alimentaires	1/2 tasse (125 ml)
(riz et macaroni cuits)	
Pomme de terre bouillie ou au four	1 petite
Pommes de terre en purée	1/2 tasse (125 ml)
Frites	10 moyennes**
Maïs en crème (conserve)	1/3 tasse (75 ml)
Maïs en grains (conserve)	1/2 tasse (125 ml)
Maïs en épi (5 pouces/12,5 cm)	1
Germe de blé non sucré	2 cuil. à table (30 ml)
Farine	2 1/2 cuil. à table (38 ml)
Fécule de maïs	2 cuil. à table (30 ml)
Biscuits soda, Ritz, etc.	4
Biscuits Petit Beurre, Social Thé,	4
Biscuits Royal, Grandmère	1
Biscuits d'avoine et raisins	1
Biscuits graham	3
Chapelure graham	1/4 tasse (60 ml)
Beigne nature (petit)	1**
Muffin au son (petit)	1**
Pop corn sans beurre	1 1/4 tasse (310 ml)
Melba rectangulaire	4
Melba rond	6
Pain pita dédoublé (6 pouces/15 cm)	1

* La quantité indiquée correspond à l équivalent de pain (ex.: 1 maïs en épi = 1 équivalent de pain).

** La quantité indiquée correspond à 1 équivalent de pain PLUS 1 équivalent de matière grasse.

FAMILLE DE MATIERE GRASSE

	QUANTITÉ*
Beurre ou margarine	1 cuil. à thé (5 ml)
Beurre ou margarine réduit en calories	2 cuil. à thé (10 ml)
Mayonnaise	1 cuil. à thé (5 ml)
Mayonnaise réduite en calories	2 cuil. à thé (10 ml)
Huile végétale, shortening	1 cuil. à thé (5 ml)
Sauce à salade (Miracle Whip)	2 cuil. à thé (10 ml)
Vinaigrette réduite en calories	2 cuil. à table (30 ml)
Fromage à la crème	1 cuil. à table (15 ml)
Crème à café	2 cuil. à table (30 ml)
Arachides	10
Noix du Brésil	2
Noix d'acajou, avelines, pacanes	5
Noix de Grenoble	4 moitiés
Noix de coco râpée, séchée, non sucrée	1 cuil. à table (15 ml)
Graines de sésame, de tournesol écalées	1 cuil. à table (15 ml)
Olives vertes	10 moyennes
Olives noires	7 moyennes
Vinaigrette	1 cuil. à table (15 ml)

* La quantité indiquée correspondent à 1 équivalent de matière grasse (ex.: 10 arachides = 1 équivalent de matière grasse).

FAMILLE DES FRUITS

QUANTITÉ*

Abricots en conserve	4 demies
Abricots frais	2 moyens
Abricots séchés	4 demies
Ananas en conserve	1/2 tasse (125 ml)
Ananas frais	2 tranches
Avocat	1 demie
Banane (petite)	1 demie
Bleuets	1/2 tasse (125 ml)
Cantaloup (5" de diamètre/12,5 cm)	1 demie
Carabola ou carabole (fruit étoilé)	1 tasse (250 ml)
Cerises	10 grosses
Cerises en conserve	1/2 tasse (125 ml)
Citrouille	1 tasse (250 ml)
Clémentines	2 petites
Dattes	2
Dattes Dalgène	3
Feijoa	1 tasse (250 ml)
Fraises	1 tasse (250 ml)
Framboises	1/2 tasse (125 ml)
Goyave	3 1/2 onces (105 g)
Jus de pruneaux	1/3 tasse (75 ml)
Jus sans sucre (autre)	1/2 tasse (125 ml)
Kiwis	2
Mangue	3 1/2 onces (105 g)
Maracaya ou fruit de la passion	1/2 tasse (125 ml)
Melon d'eau	1 tasse (250 ml)
Melon de miel (5" de diamètre/12,5 cm)	1 demie
Nectarine	1 moyenne
Orange	1 moyenne
Papaye	1 tasse (250 ml)
Pêche	1 grosse
Pêches en conserve	2 demies
Pépino	1 tasse (250 ml)

Plantain	1/4 tasse (60 ml)
Poire cactus	1 demie
Poire en conserve	2 demies
Poire ordinare	1
Pomme	1
Pomme en compote sans sucre	1/2 tasse (125 ml)
Pomme-grenade	1
Pomme-poire	1
Prunes	2 moyennes
Pruneaux séchés	2 moyens
Raisins (bleu, vert ou rouge)	14 moyens
Raisins secs	2 cuil. à table (30 ml)
Rhubarbe nature (cuite)	1 tasse (250 ml)
Salade de fruits	1/2 tasse (125 ml)
Tangerine (mandarine)	1
Tangerines en conserve	1/2 tasse (125 ml)

* La quantité indiqué correspond à 1 équivalent de fruit (ex.: 2 abricots moyens frais = 1 équivalent de fruit).

FAMILLE DU LAIT

Lait écrémé	8 onces (240 ml)
Lait 2%	8 onces (240 ml)
Lait entier	4 onces (120 ml)
Lait en poudre reconstitué	8 onces (240 ml)
Lait en poudre écrémé	2 onces (60 ml)

* La quantité indiquée correspond à 1 équivalent de lait (ex.: 2 onces de lait en poudre écrémé = 1 équivalent de lait).

ÉQUIVALENCES APPROXIMATIVES DES MESURES ANGLAISES ET MÉTRIQUES

ABRÉVIATIONS COURANTES

ml	millilitre
l	litre
g	gramme
kg	kilogramme
oz	once
lb	livre
bte	boîte
cuil. à table	cuillère à table
cuil. à thé	cuillère à thé
cm	centimètre
°F	degré Farenheit
°C	degré Celsuis

MESURES SOLIDES

Farine, épices, café, etc.

1 cuil. à thé	3 grammes
1 cuil. à table	9 grammes
4 cuil. à table (1/4 tasse)	36 grammes
8 cuil. à table (1/2 tasse)	72 grammes
16 cuil. à table (1 tasse)	145 grammes
1/2 livre	225 grammes
1 livre	450 grammes
2 1/5 livres	1000 grammes
1 once	30 grammes

Sucre, beurre, légumes

1 cuil. à thé	5 grammes
1 cuil. à table	15 grammes
4 cuil. à table (1/4 tasse)	60 grammes
8 cuil. à table (1/2 tasse)	120 grammes
16 cuil. à table (1 tasse)	240 grammes

MESURES LIQUIDES

1 cuil. à thé	5 ml
1 cuil. à table	15 ml
1/8 tasse	30 ml
1/4 tasse	30 ml
1/3 tasse	75 ml
1/2 tasse	125 ml
2/3 tasse	150 ml
3/4 tasse	200 ml
1 tasse	250 ml
1 demiard	285 ml
2 tasses	500 ml
1 chopine	570 ml
1 pinte	1,14 litres
1 gallon	4,55 litres
1 once	30 ml
34 onces	1 litre

TEMPÉRATURE

250°F	120°C (très lent)
275°F	135°C (très lent)
300°F	150°C (très lent)
325°F	160°C (modérément lent)
350°F	175°C
375°F	190°C (modérément chaud)
400°F	205°C
425°F	220°C (chaud)
450°F	235°C (très chaud)
475°F	245°C
500°F	260°C

SAVIEZ-VOUS QUE ...

1 livre de café = 100 tasses

1 livre de thé = 125 tasses

1 livre de fèves sèches = 2 1/3 tasse crues ou 6 tasses cuites

1 livre de nouilles = 5 1/2 tasses crues ou 6 tasses cuites

1 livre de macaroni = 4 1/2 tasses crus ou 6 tasses cuits

1 livre de riz = 2 1/2 tasses cru ou 6 tasses cuit

1 livre de farine = 4 tasses de farine tamisée

1 livre de graisse = 2 1/2 tasses

LES SUBSTITUTS

Un oeuf entier peut être remplacé, dans les recettes, par 2 blancs d'oeufs et 1 cuil. à thé d'huile végétal.

On réduit de moitié la quantité de calories lorsqu'on choisit une margarine ou un beurre réduits en calories.

Un sachet de substitut de sucre équivaut à 2 cuillères à thé de sucre (40 calories).

Les substituts de sucre de type cyclamates sont préférables pour la cuisson car la chaleur n'a pas d'effet sur eux.

Selon l'Association canadienne du diabète, consommer des substituts de sucre à raison de 3 à 4 sachets par jour ou 5 à 7 sous forme liquide (aspartame) est sans danger pour la santé.

NOTE : Ces substituts ne sont pas recommandables pour les femmes enceintes, les femmes qui allaitent et pour les enfants.

TABLE DES MATIÈRES

LES SALADES ET LES ASPICS— SAUCES, TREMPETTES, VINAIGRETTES

LES LÉGUMES ET LES PÂTES

LES VIANDES ET SUBSTITUTS

LES DESSERTS